Cómo alimentarse antes, durante y después del embarazo

Cómo alimentarse antes, durante y después del embarazo

JUDITH E. BROWN, R.D., M.P.H., PH D

PRÓLOGO DE HOWARD N. JACOBSON, M.D.

GRUPO
EDITORIAL
norma

Bogotá, Barcelona, Buenos Aires, Caracas, Guatemala,
Lima, México, Panamá, Quito, San José,
San Juan, Santiago de Chile, Santo Domingo

Brown, Judith E.
    Cómo alimentarse antes, durante y después del embarazo / Judith E. Brown ; traductor María
Cristina Montaña. -- Grupo Editorial Norma, 2007.
    272 p. ; 23 cm.
    Título original : What to Eat Before, During and After Pregnancy.
    ISBN 978-958-45-0250-6
1. Nutrición de la madre 2. Embarazo - Aspectos nutricionales 3. Embarazo - Cuidado e higiene
4. Cuidado prenatal I. Montaña, María Cristina, tr. II. Tít.
618.24 cd 21 ed.
A1124094

CEP-Banco de la República-Biblioteca Luis Ángel Arango

Título original en inglés:
What to Eat Before, During, and Afer Pregnancy
de Judith E. Brown, R.D., M.P.H., Ph.D.
Una publicación de McGraw-Hill
Copyright © 2006 de Judith E. Brown, R.D., M.P.H., Ph.D.
Copyright © 2007 para América Latina
por Editorial Norma S. A.
Apartado Aéreo 53550, Bogotá, Colombia
http://www.norma.com
Impreso por: Nomos Impresores
Impreso en Colombia - Printed in Colombia

Edición, Natalia García Calvo
Diseño de cubierta, María Clara Salazar
Diagramación, Nohora E. Betancourt V.

Este libro se compuso en caracteres Weiss

ISBN 978-958-45-0250-6

Detrás de cada avance de la ciencia
que conduce al mejoramiento de nuestra calidad de vida,
hay personas que, sin buscar un beneficio propio,
participan voluntariamente en las investigaciones.
Este libro está dedicado
a todas las mujeres que participan en estudios
que aumentan nuestro conocimiento sobre
la nutrición y la fertilidad, el embarazo y la lactancia.
Ustedes benefician a nuestros hijos
y a todos nosotros.

⤳ Contenido ⤳

Prólogo   ix

Prefacio   xi

1   *Ventajas nutricionales para ti y tu bebé*   1

Cómo puede la nutrición afectar la salud de tu bebé   2

Cómo puede la nutrición afectar tu fertilidad   4

Enfoques alternos para solucionar la infertilidad   15

Nutrición: algo que tú puedes controlar   17

2   *La verdad acerca de la nutrición y las dietas sanas*   19

Diez principios nutricionales   20

Como diseñar una dieta saludable   47

Guía Alimenticia MiPirámide   48

Cómo diagnosticar la veracidad
de la información nutricional   55

3   *Cómo prepararte en términos nutricionales para los dos primeros meses de embarazo*   61

Cómo anticipar los cambios durante los dos
primeros meses de embarazo   63

Dieta durante la preconcepción y el comienzo
del embarazo   68

Suplementos vitamínicos y minerales y otras
consideraciones   80

4   *La dieta correcta para el embarazo*   83

¿Qué es una dieta saludable para el embarazo?   84

Nutrientes clave para el embarazo   91

Seguridad de los alimentos durante el embarazo   100

Alimentación del bebé en crecimiento 102

Preguntas sobre dieta y embarazo 103

5 *Suplementos vitamínicos, minerales y herbales* 115

¿Quiénes deben tomar un suplemento
 multivitamínico y mineral? 116

Análisis de los suplementos vitamínicos y minerales
 prenatales 118

Suplementos vitamínicos y minerales para
 embarazos múltiples 122

Preguntas sobre los suplementos vitamínicos y
 minerales durante el embarazo 123

6 *Aumentar la cantidad correcta de peso* 125

La cantidad correcta de peso que se debe subir
 durante el embarazo 126

Aumento de peso y embarazo múltiple 129

Aumentos de peso por fuera de los límites 132

Qué esperar en cuanto a pérdida de peso después
 del embarazo 134

Preguntas sobre el aumento de peso y el embarazo 134

7 *Hacer ejercicio durante el embarazo* 139

Ejercicio durante el embarazo 141

Ejercicio después del embarazo 143

Preguntas sobre ejercicio y embarazo 144

8 *Ayudas nutricionales contra problemas comunes en el embarazo* 147

Náusea y vómito 148

Estreñimiento 151

Acidez 152

Anemia por deficiencia de hierro 153

Diabetes gestacional   155
Preeclampsia   159

9   *Nutrición después del embarazo: alimentación del bebé*   161

Cosas que conviene saber sobre la alimentación
    de los bebés   162
Cómo reconocer a un bebé hambriento   164
Recomendaciones sobre la alimentación del bebé   164
¿Los bebés necesitan suplementos vitamínicos
    o minerales?   171
Preguntas sobre la alimentación del bebé   172

10 *Nutrición después del embarazo: la lactancia*   175

Beneficios de la lactancia   176
Cómo funciona la lactancia   177
Lineamientos sobre alimentación para mujeres
    lactantes   183
Preguntas sobre la lactancia   188

11 *Recetas para comer bien*   191

Uso de ollas curadas de hierro fundido   191

Anexo A: Información sobre vitaminas y minerales   211

Anexo B: Conversión de medidas al sistema métrico   249

Agradecimientos   251

Prólogo

Las mujeres gestantes siempre han reconocido la importancia de una buena nutrición y los profesionales de la salud finalmente se están dando cuenta de lo importante que es para el embarazo, y también para la fertilidad y la lactancia. En los últimos diez años, ha habido una verdadera explosión de libros, folletos y guías para mujeres embarazadas. En la mayoría de los casos, la información preparada por profesionales ha resultado demasiado técnica o demasiado impersonal para el público en general. En el otro extremo, los libros populares preparados por legos tienden a carecer de suficiente credibilidad científica.

En *Cómo alimentarse antes, durante y después del embarazo*, Judith Brown cumple a cabalidad su deseo de escribir una guía comprensible, útil y exacta que tenga a la vez un tono optimista y de apoyo. El cubrimiento detallado de los temas esenciales ayuda a las lectoras a tomar decisiones correctas sobre su dieta, el uso de suplementos alimenticios, el aumento de peso y la alimentación infantil.

Por su combinación de información impecablemente precisa y su perspectiva positiva, este libro será de gran ayuda en la preparación nutricional de la mujer para la concepción, el embarazo y la lactancia.

Howard N. Jacobson, M.D.
Profesor, Departamento de Salud Comunitaria y Familiar
Escuela de Salud Pública, Universidad de South Florida

 Prefacio

¿Estás buscando información confiable sobre cómo preparar tu cuerpo para el embarazo? ¿Quedar embarazada te está tomando más tiempo del que esperabas? ¿Estás embarazada y te preocupa subir demasiado de peso? ¿No estás segura de cuáles alimentos y suplementos debes consumir y cuáles debes evitar? ¿Necesitas saber sobre nutrición para tu embarazo de mellizos? ¿Presientes que vas a necesitar información sobre la lactancia o sobre cómo volver a estar en forma después de que nazca tu bebé? Si viniste a la librería o a la biblioteca motivada por preguntas o preocupaciones como éstas, has encontrado el libro correcto.

Hay muchas fuentes de información disponibles sobre nutrición y fertilidad, embarazo y lactancia, pero la calidad de la información va desde extravagante hasta fantástica. Cómo alimentarse antes, durante y después del embarazo contiene información basada en el más confiable conocimiento científico. Esta característica permitió que las anteriores ediciones se convirtieran en referencia obligada de médicos, nutricionistas, parteras, enfermeras y periodistas. La información actualizada impresa en este libro tiene la misma calidad y también proporciona asesoría práctica.

El capítulo 1 ofrece, en primer lugar, un panorama general de los beneficios de una buena nutrición para el embarazo, y luego discute el rol de la nutrición en la fertilidad y cómo los cambios en la dieta y el ejercicio pueden aumentar las probabilidades de quedar en embarazo. El capítulo 2 contiene información básica sobre nutrición; incluye datos sobre vitaminas, minerales y los principales alimentos que los contienen. A lo largo del libro, se hace referencia a las tablas de nutrición específicas contenidas en este capítulo.

Tal vez los avances más significativos de los últimos diez años en el conocimiento sobre nutrición y reproducción se han hecho en las áreas de nutrición antes de la concepción y en las primeras etapas del embarazo. El capítulo 3 destaca estos avances, da recomendaciones específicas en cuanto a la nutrición óptima para el crecimiento y desarrollo fetal inicial, y da instrucciones para evaluar la propia dieta.

El capítulo 4 describe la "dieta correcta para el embarazo" y responde preguntas comunes sobre la alimentación en esta etapa. El capítulo 5 cubre las ventajas y desventajas de usar suplementos vitamínicos, minerales y herbales durante el embarazo y da indicaciones para su uso.

El aumento de peso durante el embarazo influye de manera importante en el crecimiento y desarrollo fetal y en el peso corporal después del embarazo. El capítulo 6 trata este tema e incluye una gráfica de aumento de peso que se puede usar para monitorear el progreso. También contiene recomendaciones nutricionales para las mujeres embarazadas que "comen por tres". Incluye además algunas notas dirigidas a mujeres que esperan trillizos, aunque esta información es tentativa, puesto que hace falta realizar más estudios en este campo. Estrechamente relacionado con el aumento de peso está el tema del ejercicio; el capítulo 7 explica el porqué, el cómo y el para qué del ejercicio durante el embarazo.

El embarazo tiene una serie de "efectos colaterales" que se considerarían anormales en mujeres no embarazadas. Estos comunes y molestos problemas a veces se pueden prevenir y manejar de manera efectiva con cambios de alimentación, ejercicio o el uso de suplementos. El capítulo 8 sugiere algunas ayudas nutricionales para las náuseas y el vómito, la acidez y el estreñimiento. También ofrece información y recomendaciones nutricionales para condiciones que se pueden presentar durante el embarazo, tales como diabetes gestacional, preeclampsia y anemia por deficiencia de hierro.

Los dos capítulos siguientes tratan temas relacionados con la etapa posterior al embarazo. El capítulo 9 incluye recomendaciones sobre nutrición y alimentación infantil. El capítulo 10 está dedicado al tema de la lactancia.

Invito a las lectoras a leer detenidamente el capítulo 11. Las recetas para comer saludablemente han sido creadas específicamente para ayudar a las mujeres a satisfacer las necesidades nutricionales antes, durante y después del embarazo. Para cada receta se da la información nutricional correspondiente.

Durante el desarrollo de este libro, se usaron literalmente miles de informes de investigación y otras fuentes de información confiable sobre nutrición y fertilidad, embarazo y lactancia. Por consideraciones de espacio que impiden hacer una lista exhaustiva, sólo se incluyen referencias clave y aquellas que las mujeres pueden consultar para obtener información adicional. Al final del libro aparecen, por capítulo, algunas referencias particularmente buenas relacionadas con los temas tratados, que se encuentran en Internet y otras fuentes.

El público principal al cual va dirigido este libro son las mujeres, puesto que son ellas quienes están en mejor posición para poner en práctica la información. Obviamente, los esposos, compañeros, parientes y futuros abuelos pueden estar interesados en estos temas y brindar su valioso apoyo. La referencia a las mujeres no pretende excluir a otras personas interesadas o involucradas en el proceso.

El conocimiento sobre nutrición materna está en continua expansión y es posible que no se mencionen aquí nuevos e importantes avances. En consecuencia, y debido a que la nueva información pueda afectar el tipo de atención médica que recibas, te recomendamos mantener informada a la persona encargada de tu salud sobre tu conocimiento de los nuevos avances y sobre tus preocupaciones y acciones relacionadas con tu dieta, el uso de suplementos y tu peso. Es muy posible que tus inquietudes sirvan para que el encargado de tu salud se actualice con respecto a importantes avances en nutrición.

Mis mejores deseos por tu felicidad, buen humor y gran alegría.

Ventajas nutricionales
para ti y tu bebé

"Por la autopista de la información pasan grandes cantidades de datos que no llegan a la puerta de nuestros pacientes".

—Claude Lenfant,
Director Nacional de Institutos de Salud

Actualmente estamos experimentando una explosión de nueva información sobre la relación entre nutrición y fertilidad, embarazo y lactancia. Un renacimiento de la investigación está en camino y se está redefiniendo la asesoría nutricional que deben recibir las mujeres que están buscando concebir, las embarazadas y las madres lactantes. La asesoría antes basada en supuestos clínicos o en prejuicios personales está siendo reemplazada por recomendaciones respaldadas por evidencia sólida. Las recomendaciones sustentadas científicamente que están surgiendo de los estudios actuales tienen ventajas importantes: se ha demostrado que son benéficas para la salud y que mantienen su validez a través del tiempo.

Hasta hace poco se consideraba que los factores nutricionales no tenían relación alguna con la fertilidad. Ahora sabemos que el consumo de antioxidantes, el almacenamiento de grasa corporal, el uso de suplementos y otras condiciones como la resistencia a la insulina, el síndrome de poliquistosis ovárica y las enfermedades celíacas, todas afectan la fertilidad. Solía pensarse que el feto era un parásito que absorbía de la madre cualquier nutriente que necesitara para su crecimiento y desarrollo, sin importar la dieta que ella llevara. (Algunas personas siguen creyéndolo). Ahora se acepta que el feto no es un parásito; no se beneficia causándole daño a la madre. La alimentación del feto depende del suministro de nutrientes que le ofrezca la dieta de la madre y de los nutrientes que ésta almacene. Para garantizar la supervivencia de la especie, es la madre quien tiene primero acceso a la mayoría de los nutrientes si el suministro de los mismos es pobre. Una madre saludable puede reproducirse otra vez.

En el pasado, se decía que las mujeres tenían instintos maternales que las llevaban a seleccionar y consumir alimentos nutritivos durante el embarazo. Esta noción es tan válida como la antigua creencia romana según la cual si querías tener un bebé de ojos oscuros debías comer ratón con alguna frecuencia. Otras ideas comunes, como la recomendación de reducir el ejercicio, tener cuidado con la cafeína y las bebidas dietéticas, reducir el consumo de sal y hacer dieta para mantener un bajo peso durante el embarazo, ya no tienen sustento. Contrario a las opiniones de algunos, las ventajas nutricionales y de salud de la lactancia no se limitan a mujeres con dietas perfectas, grandes senos, o buen estado de salud.

La nueva información sobre nutrición y fertilidad, embarazo y alimentación del bebé surge constantemente, y es difícil para los expertos en salud mantenerse actualizados en todos estos avances. Desafortunadamente, muchos de estos expertos no están al día con la tecnología ni con las mejoras nutricionales sin medicamentos que podrían beneficiar a las mujeres y a las familias a las que atienden.

Cómo puede la nutrición afectar la salud de tu bebé

Muchos de los consejos que antiguamente se daban a las mujeres sobre nutrición y reproducción no contaban con el apoyo suficiente de la investigación científica y estaban fuertemente sesgados por supuestos no comprobados. Así como avanza el conocimiento, también deberían hacerlo las recomendaciones específicas que se dan a las mujeres sobre nutrición. Algunos avances en la información sobre nutrición se filtran lentamente en la atención médica; otros parecen mantenerse en secreto. Se pueden tomar algunas medidas nutricionales para aumentar las probabilidades de concepción de muchas mujeres e incrementar la fertilidad de los hombres. También es claro que un feto en proceso de crecimiento y desarrollo es vulnerable a la influencia de la energía y los nutrientes que recibe de la madre, y que el exceso de vitaminas y minerales de los suplementos alimenticios puede ser tan perjudicial para el bienestar del feto, como una cantidad insuficiente de los mismos. Ahora se sabe que el consumo de ciertas vitaminas, tales como el ácido fólico y las vitaminas A y D, durante la etapa inicial del embarazo, puede estar relacionado con el desarrollo de ciertas malformaciones en el bebé. El número de kilos que una mujer aumenta durante el embarazo y el tiempo que tarda en subirlos tienen efectos importantes en el riesgo de un parto prematuro, lo mismo que en el tamaño y estado de salud del niño al nacer.

Uno de los avances más sorprendentes de la investigación científica tiene que ver con la nutrición materna y el riesgo posterior de ciertas enfermedades crónicas. Parece que el suministro inadecuado de energía y nutrientes durante la gestación y la primera infancia puede "programar" una predisposición a enfermedades cardiacas, diabetes, alta presión arterial y otras enfermedades y desórdenes. Existe abundante evidencia que indica que los recién nacidos bien alimentados, con un crecimiento óptimo, tienen menos riesgo de desarrollar una amplia variedad de problemas de salud más adelante en su vida.

En términos de importancia, a este avance le sigue el nuevo conocimiento sobre la interacción entre nutrientes y genes. El factor genético rara vez es el único que afecta la salud o el riesgo de enfermedad. Por el contrario, la salud y los problemas de salud tienden a ser el resultado de la interacción entre múltiples factores genéticos y ambientales, como la dieta alimenticia. La interacción entre nutrientes y genes durante el embarazo, por ejemplo, influye en el riesgo que tiene una mujer de desarrollar diabetes gestacional, en su demanda de folato (una vitamina

B) y en lo susceptible que es el feto a los efectos del consumo materno de alcohol. Estos avances son particularmente significativos puesto que podemos modificar la dieta alimenticia y la exposición ambiental de manera que beneficien la salud a largo plazo.

Las mujeres bien alimentadas son menos propensas a tener abortos o a desarrollar anemia por deficiencia de hierro, estreñimiento, fatiga y otros problemas comunes del embarazo. Los bebés de madres bien alimentadas tienen más probabilidades de nacer con buena salud, de alimentarse vigorosamente, de tener un crecimiento óptimo, y de ser despiertos y atentos. Aunque hay mucho más por aprender sobre los efectos de la nutrición en el crecimiento, desarrollo y salud posterior del feto, se está reconociendo la influencia de la nutrición materna; las ventajas de una alimentación óptima son más amplias de lo que habíamos imaginado.

Cómo puede la nutrición afectar tu fertilidad

La concepción y el nacimiento de un bebé saludable están influenciados por muchas condiciones que están tanto bajo como fuera de nuestro control. Entre las condiciones que podemos controlar, la nutrición es la más básica. El tipo de dieta que una mujer consuma antes y durante el embarazo puede afectar la fertilidad y la gestación de muchas maneras. Bajo circunstancias normales, una buena nutrición puede ser un regalo, un inicio de vida por encima del promedio, y una ventaja para la salud que dura toda la vida.

La concepción es el resultado de una cadena de eventos biológicos orquestados cuidadosamente. Dada la complejidad de los procesos involucrados, ¡la concepción es un hecho sorprendente! Aunque parezca increíble, la concepción ocurre sin complicaciones en nueve de cada diez parejas. Sin embargo, para una de cada diez hay un problema técnico. La causa puede ser un esperma anormal, una enfermedad tubárica, una irregularidad hormonal, una edad avanzada o algo desconocido. La causa del problema también puede estar relacionada con la nutrición.

La lista de factores nutricionales relacionados con esterilidad tanto en el hombre como en la mujer incluye:

- Grasa corporal.
- Desórdenes, tales como síndrome de ovario poliquístico y enfermedad celíaca, relacionados con la utilización que hace el organismo de los nutrientes.
- Consumo de nutrientes.
- Niveles extremadamente altos de actividad física.
- Consumo excesivo de cafeína o alcohol.

La esterilidad asociada con factores nutricionales casi siempre se puede manejar con soluciones de baja tecnología. Adicionalmente, las nuevas investigaciones muestran que ciertos hábitos alimenticios, la condición de peso corporal, las vitaminas, los minerales y ciertas hierbas pueden tener un efecto positivo en la restauración de la fertilidad. Aunque los enfoques nutricionales no logran prevenir ni restaurar la fertilidad en todos los casos, sí representan para muchas parejas soluciones seguras, sanas y económicas que han sido subutilizadas.

Grasa corporal y fertilidad

La esterilidad causada o agravada por factores nutricionales a menudo está relacionada con cambios en la producción o en la actividad hormonal, o con la calidad del esperma. Para los problemas nutricionales relacionados con producción o actividad hormonal, la interrupción de la cadena se puede reparar en tan sólo un mes. La producción de esperma se tarda setenta y dos días. En consecuencia, los cambios nutricionales que se introducen en la dieta tardan al menos setenta y dos días en afectar la calidad del esperma.

El estrógeno es una hormona que juega un papel importante en la reproducción femenina. Se produce en dos lugares del cuerpo: los ovarios y los depósitos de grasa. Los bajos o altos niveles de grasa corporal y la tendencia a acumularla de manera centralizada (alrededor de la cintura) modifican la producción de estrógeno. Estos cambios en la producción de esta hormona pueden causar esterilidad o demora en la concepción debido a la pérdida de períodos menstruales, a períodos irregulares, o a la falta de ovulación (liberación del huevo). La cantidad y localización de la grasa corporal también puede alterar la producción de otras hormonas reproductivas de manera tal que se disminuye la fertilidad y se aumenta el riesgo de aborto.

Algunos estudios han demostrado que es posible normalizar los niveles de hormonas reproductivas y corregir la esterilidad después de llevar el contenido de grasa corporal al rango normal. Se ha demostrado que una pérdida de peso de tan sólo catorce libras en mujeres obesas e infértiles (mediante la reducción del consumo de calorías y el aumento de la actividad física) ha corregido la esterilidad en la mayoría de las mujeres bajo estudio. La pérdida de peso generalmente reduce los depósitos centralizados de grasa corporal y disminuye el riesgo de esterilidad y demora en la concepción asociado con el patrón de acumulación de grasa alrededor de la cintura. Por otra parte, el aumento moderado de peso en mujeres que tienen muy poca grasa corporal puede favorecer la fertilidad. Aunque se pueden usar medicamentos para mejorar los niveles hormonales y la ovulación, los resultados tienden a ser mejores si la ovulación ocurre espontáneamente.

Tanto la ausencia como el exceso de grasa corporal alrededor de la cintura en los hombres están relacionados con una reducción en la producción de testosterona y una mala calidad del esperma. El aumento de kilos en los hombres de bajo peso y la pérdida de ellos en los obesos mejora los niveles de testosterona y de fertilidad.

Como regla general, los individuos que tienen un índice de masa corporal (IMC) inferior a 20 o superior a 30 kg/m^2 son demasiado delgados o demasiado gordos para una fertilidad óptima. El IMC se puede determinar por medio de la siguiente fórmula:

$$IMC = \frac{peso\ (kg)}{altura^2\ (m)}$$

Por lo tanto si usted pesa 56 kg y mide 1.60 m su IMC se calculará así: $56 \div 1{,}6^2 = 21{,}8$.

El IMC no siempre es un buen indicador de lo delgada o gorda que es una persona. Los individuos que hacen mucho ejercicio pueden tener un IMC normal pero en realidad pueden ser demasiado delgados por causa de un bajo porcentaje de grasa corporal. Por otro lado, las personas sedentarias pueden tener un peso normal pero demasiada grasa corporal. Para estas personas, los estándares del IMC pueden no ser un buen indicador de gordura. Como guía aproximada, si la medida de la circunferencia alrededor de la cintura es superior a 110 cm en una mujer y superior a 120 cm en un hombre, significa que sus niveles de grasa corporal centralizada son "muy altos".

Consejos para perder peso y no subir de nuevo

Si quieres perder peso y no subirlo de nuevo, no hagas dietas pasajeras, ni esperes perder kilos rápidamente, ni confíes en pastillas adelgazantes. Ninguna de estas alternativas funciona a largo plazo. No justifican el dolor y sufrimiento por el que debes pasar. La manera más efectiva de perder peso y no volver a engordar es hacer pequeños ajustes en tu dieta y nivel de ejercicio. Los cambios que hagas los debes disfrutar y deben ser sostenibles a largo plazo. Perder una o dos libras por semana es una meta razonable.

Las preferencias individuales de alimentación y ejercicio varían mucho, así que ningún plan de dieta o ejercicio funciona bien para todo el mundo. Las personas deben decidir por sí mismas qué y cuánto comer y el tipo de ejercicio que pueden disfrutar. El plan debe consistir en una selección balanceada de una gama de alimentos básicos bajos en calorías. Sin embargo, también debes incluir algunas porciones reducidas de alimentos tales como dulces, frituras y postres, si sientes que los vas a extrañar. No puedes hacer que tu vida sea miserable y esperar vivir con los cambios durante mucho tiempo.

Cuando hayas diseñado un plan con el que te sientas feliz, intenta seguirlo. Debes estar preparada para ajustarlo aquí y allá si sus componentes no están funcionando. Tómate un tiempo para darte una palmadita en la espalda y maravillarte de tu nuevo estado físico y de salud. Haz de este cambio una experiencia positiva y una inversión en ti misma que realmente mereces.

Desórdenes que afectan el uso que hace el cuerpo de los nutrientes: SOP y enfermedad celíaca

Hay una serie de condiciones que afectan la utilización de nutrientes y, por ende, la fertilidad. Pero hay dos que sobresalen: el *SOP* y la enfermedad celíaca.

SOP

Aproximadamente el 10 por ciento de las mujeres en edad reproductiva padecen de SOP o síndrome de ovario poliquístico, una de las principales causas de infertilidad. Con frecuencia este desorden no se diagnostica debido a la variedad de sus señales y síntomas; no obstante, las mujeres que lo sufren experimentan en general varias de las siguientes condiciones:

- Ciclos menstruales irregulares y ausencia de ovulación.
- Resistencia a la insulina.
- Altos niveles de andrógenos en la sangre (por ejemplo, testosterona).
- Ovarios poliquísticos (las capas externas de los ovarios son gruesas y duras).
- Obesidad centralizada.
- Exceso de bello corporal.
- Altos niveles de triglicéridos en la sangre y bajos niveles de colesterol HDL.

Resistencia a la insulina: factor esencial del SOP
La condición se llama resistencia a la insulina porque las células "se resisten" a la acción de la insulina. Una de las funciones de la insulina es

facilitar el transporte de glucosa desde la sangre hacia el interior de las células. Cuando hay resistencia, las células, no son muy receptivas a la acción de la insulina y a ellas ingresa menos glucosa. El cuerpo trata de aumentar el consumo de glucosa a través de las células produciendo más insulina. La producción adicional de insulina sí ayuda a que la glucosa entre a las células, pero también hace que los niveles de insulina en la sangre suban en exceso y se vuelvan anormales. Los altos niveles de insulina disparan la producción de testosterona en los ovarios y eso entorpece el desarrollo del embrión. Los altos niveles de testosterona producen un crecimiento excesivo del bello facial y de otras partes del cuerpo. Los niveles de insulina excesivamente altos también están asociados con niveles elevados de triglicéridos en la sangre y con un bajo nivel de colesterol HDL (éste es el colesterol bueno y es aconsejable tener altos niveles del mismo). Las mujeres que sufren de SOP corren más riesgo de desarrollar infertilidad, diabetes gestacional, hipertensión y enfermedades cardiaca.

El objetivo primordial de un tratamiento contra el SOP es reducir los niveles de insulina y la resistencia a la misma. La mejor manera de lograrlo es perdiendo peso y haciendo ejercicio regularmente. La reducción de los niveles de insulina genera una serie de beneficios que incluyen niveles más bajos de testosterona y triglicéridos y la reanudación del proceso de ovulación, además de la recuperación de la fertilidad.

Los medicamentos que sensibilizan el organismo a la insulina, como la metformina, se pueden utilizar para bajar los niveles de testosterona e insulina en la sangre y para estimular la ovulación. Las mujeres que toman metformina generalmente experimentan gases y diarrea como efectos secundarios y con frecuencia pierden peso durante los meses iniciales del tratamiento. El medicamento aumenta efectivamente las probabilidades de concepción. Sin embargo, a largo plazo, es clave mantener el peso normal y hacer ejercicio regularmente para manejar el SOP y la resistencia a la insulina.

Dieta, pérdida de peso y SOP

El SOP es un problema de salud a largo plazo que requiere un esfuerzo sostenible de pérdida de peso y ejercicio. Los síntomas de este desorden pueden mejorar sustancialmente en mujeres que pierdan entre 5 y 10 por ciento de su peso corporal inicial mediante dieta y ejercicio. Las dietas más efectivas para perder peso y reducir los niveles de insulina en mujeres que sufren SOP:

- Son bajas en calorías.
- Son relativamente altas en proteínas (15 a 20 por ciento de las calorías).
- Son moderadas en carbohidratos (45 a 50 por ciento de las calorías).
- Favorecen las grasas no saturadas (como aceites vegetales, pescado).

Los alimentos que contienen carbohidratos deben tener bajo índice glicémico (ver Tabla 2.1 en el capítulo 2). Este tipo de alimentos suben menos los niveles de glucosa e insulina en la sangre que los alimentos con alto índice glicémico. Los alimentos ricos en fibra, tales como los productos integrales, los granos secos, las frutas y las verduras, ayudan a reducir los niveles de insulina y favorecen la pérdida de peso.

Dieta y enfermedad celíaca

Como lo mencioné antes, la esterilidad también está asociada con una enfermedad celíaca no tratada. Desafortunadamente, esta situación es común debido a que no se identifica este desorden. La *enfermedad celíaca* es una condición determinada genéticamente que se caracteriza por una sensibilidad al gluten que se encuentra en el trigo, la cebada y el centeno. La ingestión de gluten genera reacciones que dañan las paredes intestinales. Este daño produce una reducción en la absorción de nutrientes, deficiencias de vitaminas y minerales, diarrea, estreñimiento, gases y pérdida de peso. Los problemas causados por la sensibilidad al gluten se pueden extender a otros tejidos del cuerpo y pueden causar pérdida de hueso.

Hoy en día se recomienda examinar mediante ecografía a las mujeres que sufren de esterilidad por causas desconocidas, a fin de detectar alguna enfermedad abdominal. Cuando no son tratadas, estas enfermedades pueden llevar a la desaparición de los períodos menstruales y la infertilidad. En las mujeres que quedan embarazadas, la enfermedad celíaca aumenta las probabilidades de aborto y de crecimiento fetal deficiente. No obstante, hay un tratamiento altamente efectivo para este mal: una dieta *libre de gluten*.

Las dietas libres de gluten permiten un rápido alivio de los síntomas en las personas a quienes se les ha diagnosticado recientemente enfermedad abdominal. La dieta comienza con un cambio radical; en un corto período de tiempo hay que hacer muchos cambios y esos cambios deben durar toda la vida.

Eliminar el gluten de la dieta suena bastante sencillo pero no lo es. El trigo en particular se encuentra en los productos alimenticios menos esperados. ¿Sabías que las salsas, las frituras y algunos quesos procesados contienen gluten de trigo? Las avenas, que no contienen gluten, se pueden contaminar con el producto durante su procesamiento. La pasta, el pan, los productos de repostería y muchos tipos de cereales contienen uno o más de los cereales prohibidos. Las frutas, verduras, nueces, semillas, granos secos, aceites, grasas, azúcares, huevos, leche y los productos lácteos no contienen gluten.

Las personas que padecen de enfermedad celíaca se vuelven ávidas lectoras de las etiquetas que traen los productos alimenticios. No obstante, a la fecha (enero de 2006) se ha hecho más fácil identificar los alimentos que contienen gluten. Los productos que contienen trigo lo especifican en la etiqueta. Los productos alimenticios que no contienen gluten están cada vez más disponibles en los grandes supermercados y tiendas naturistas, y también en algunos sitios de productos especializados en Internet. La sección de Recursos Adicionales que se encuentra al final de este libro contiene una lista de libros de cocina cuyas recetas se preparan con productos libres de gluten, lo mismo que sitios de Internet donde te puedes unir a distintos grupos de apoyo para personas que sufren enfermedades abdominales, o comprar productos o ingredientes que no contiene gluten. También valdría la pena consultar a un dietista certificado que tenga experiencia en trabajo con personas que lleven una dieta libre de gluten.

Consumo de nutrientes

El riesgo de esterilidad en hombres y mujeres aumenta cuando hay niveles inadecuados de consumo de vitaminas C y E, betacaroteno, selenio, vitamina D y zinc. El riesgo de infertilidad también puede aumentar por bajos niveles de consumo de los ácidos grasos omega-3 EPA y DHA. El Anexo A contiene una lista de alimentos que proveen estos nutrientes, excepto el EPA y el DHA. Los alimentos que proporcionan estos dos ácidos aparecen listados en la Tabla 4.1 del capítulo 4. En el capítulo 3 se dan instrucciones para analizar la composición nutricional de las dietas.

Vitaminas C y E, betacaroteno y selenio

El esperma es rico en grasas poliinsaturadas, del tipo que encontramos en los aceites. Estas grasas se descomponen ante la presencia de oxígeno y otros químicos reactivos normalmente presentes en el cuerpo. Los antioxidantes evitan la descomposición de las grasas poliinstauradas y ayudan a mantener la producción normal, estructura y funciones del esperma. Las vitaminas C y E, el betacaroteno y el selenio protegen las grasas poliinsaturadas que hay en el esperma, debido a su efecto antioxidante. Varios estudios han identificado mejoría en la concentración, estructura y motilidad del esperma en hombres que han corregido su deficiencia de estos nutrientes.

Zinc

Por mucho tiempo, se ha sabido que la deficiencia de zinc causa esterilidad en los hombres. La falta de zinc disminuye la producción de testosterona, lo mismo que el número y la motilidad del esperma. Normalizar los niveles de zinc ayuda a restaurar la fertilidad.

Vitamina D

Parece que un número sorprendentemente alto de hombres y mujeres en Estados Unidos están recibiendo muy poca vitamina D de los alimentos y el sol. Una deficiencia en vitamina D tiene muchas repercusiones en la salud y la lista ahora incluye efectos en la fertilidad. Los hombres estériles con bajo conteo de espermatozoides tienden a presentar en la sangre niveles de vitamina D más bajos que los hombres con conteos normales.

Ácidos EPA y DHA

Estos ácidos grasos omega-3 intervienen en el desarrollo embrionario, la producción de hormonas en las mujeres y la producción de esperma en los hombres. La mayoría de los adultos americanos que no comen pescado o mariscos, con frecuencia, tienen bajos niveles. Los resultados iniciales de las investigaciones señalan que el consumo adecuado de EPA y DHA puede ayudar a prevenir la infertilidad asociada con producción de hormonas y esperma.

Exposición excesiva del hombre a metales pesados

Los hombres expuestos a altos niveles de plomo y mercurio pueden experimentar esterilidad causada por un pobre funcionamiento del esperma. Los altos niveles de plomo en la sangre provienen de trabajos en talleres de fundición y fábricas de baterías, y de la excesiva ingestión de mercurio a través del consumo de pescado contaminado.

Niveles excesivamente altos de actividad física

La disfunción menstrual "atlética" o inducida por el ejercicio físico está ciertamente reconocida como una causa de infertilidad en las mujeres. La fuente de la esterilidad generalmente es la pérdida de períodos menstruales y de ovulación. Las mujeres que sufren este tipo de disfunción por lo general realizan actividad física vigorosa durante varias horas al día, tienen poca grasa corporal y ejercen profesiones intelectuales con altos niveles de estrés. Los desórdenes alimenticios también pueden contribuir a la pérdida de ciclos menstruales en mujeres con este tipo de disfunción.

Las dietas de las mujeres con esterilidad inducida por el ejercicio con frecuencia son deficientes en calorías, vitaminas, minerales y ácidos grasos esenciales. Los bajos niveles de grasa corporal, la deficiencia de nutrientes, el estrés y el cansancio corporal producido por la fuerte actividad física parecen perturbar la secreción de hormonas necesarias para la fertilidad. La cura para la esterilidad atlética incluye un mayor consumo de calorías y nutrientes, la disminución del ejercicio físico y la reducción del estrés.

Consumo excesivo de cafeína o alcohol

El consumo de más de 300 mg de cafeína al día, equivalentes a más de dos tazas de café, parece tener una débil relación con la infertilidad y la dificultad en concebir. El consumo de café en una proporción de dos tazas o menos al día parece no tener relación con la esterilidad. La relación entre consumo de cafeína y esterilidad se considera "débil", ya que algunos estudios muestran que dicha relación no existe, mientras que otros demuestran un efecto poco importante. Un estudio llegó a concluir que el alto consumo de cafeína puede favorecer la fertilidad. No es claro si es la cafeína, algo más en el café, o las características de quienes lo beben lo que establece la relación entre cafeína e infertilidad.

¿Deberías reducir o incluso dejar el consumo de café si te preocupa la esterilidad o la dificultad para concebir? La respuesta razonable por el momento es "sí", aunque sea útil o no. Los bebedores regulares de café deben estar preparados para experimentar dolores de cabeza por "dejar la cafeína" si deciden dejar de consumirlo abruptamente. ¿Debes reducir el consumo de todas las fuentes de cafeína o solamente de café? La respuesta a esta pregunta depende de si estás consumiendo más de 300 mg de cafeína al día provenientes de fuentes distintas al café.

Algunos tés contienen una buena cantidad de cafeína y pueden elevar el consumo total de esa sustancia más allá de los 300 mg diarios. Las etiquetas de los empaques con frecuencia incluyen información sobre la cantidad de cafeína contenida. Además, el chocolate y muchas otras bebidas suaves contienen pequeñas cantidades de cafeína. La Tabla 1.2 muestra los contenidos de cafeína de distintas bebidas.

TABLA 1.2   CONTENIDO DE CAFEÍNA EN LAS BEBIDAS

Bebida	Cafeína en mg
Café, una taza	
Colado	137 – 153
Filtrado	97 – 125
Instantáneo	61 – 70
Descafeinado	0 – 4
Té, una taza	
Importado	40 – 176
Marcas estadounidenses	32 –144
Té helado instantáneo	40 – 80
Gaseosas, 12 onzas	
Coca Cola dietética 46	
Coca Cola	38
Pepsi Cola	38
Pepsi dietética	37
Ginger Ale	0
Seven Up	0
Cocoa o leche achocolatada	10 – 17

El alto consumo de alcohol está asociado con la esterilidad debido a los efectos directos y tóxicos de esta sustancia. Sin embargo, el consumo diario de uno o dos tragos de bebidas que contengan alcohol no parece afectar la fertilidad. Debido a que el consumo de alcohol durante los dos primeros meses de gestación puede hacerle daño al feto, a las mujeres se les recomienda abstenerse de beber.

Enfoques alternos para solucionar la infertilidad

Algunos medicamentos a base de hierbas, los suplementos nutricionales y la acupuntura pueden ser efectivos en casos de esterilidad asociada con hormonas en los que se desconoce la causa.

El *agnocasto* (también llamado *vitex*) puede ayudar a normalizar los ciclos menstruales. Al probarlo en un producto llamado "Mezcla de la Fertilidad", se le atribuyó al *agnocasto* la propiedad de restaurar la fertilidad en 33 por ciento de mujeres estériles que lo tomaron durante tres meses. La Mezcla de la Fertilidad también contiene extracto de té verde, arginina, vitaminas y minerales. Estos componentes también pudieron haber tenido efecto en la restauración de la fertilidad. Aunque no se observaron efectos secundarios dañinos, es demasiado pronto para afirmar que el suplemento es totalmente seguro. El *agnocasto* puede tener un efecto distinto en los hombres. Dice una leyenda que los monjes masticaban *agnocasto* para inducir la castidad.

Algunas hierbas pueden favorecer la fertilidad y mejorar la salud, mientras otras son consideradas peligrosas para las mujeres en período de concepción. La equinácea y el ginkgo, por ejemplo, pueden interferir con la concepción. Consulta las fuentes de Internet que aparecen al final de este libro o habla con tu médico para conocer la seguridad y eficacia de las hierbas que pienses tomar.

La *coenzima* Q_{10} es una sustancia producida por el cuerpo que es químicamente similar a la vitamina E. Un estudio demostró que el consumo de suplementos de coenzima Q_{10} durante seis meses aumenta la motilidad del esperma en hombres cuya causa de infertilidad es desconocida. Los efectos de la coenzima Q_{10} en la motilidad del esperma parecen estar relacionados con sus funciones de producción de energía y como agente antioxidante.

La *carnitina*, también producida por el cuerpo y usada por el esperma en la producción de energía, parece incrementar el movimiento del esperma y las tasas de concepción. En el estudio en que se demostró este efecto, se suministró a los hombres L-carnitina y L-acetil carnitina o un placebo diariamente durante seis meses. La carnitina parece ser muy eficaz en el caso de hombres con bajos niveles de motilidad del esperma.

La *acupuntura* ha sido probada como una forma de elevar las tasas de concepción en mujeres en proceso de *fertilización in vitro* (FIV). Un estudio muy bien diseñado mostró que las mujeres que seguían un tratamiento de acupuntura simultáneo a la FIV tenían 65 por ciento más de probabilidad de concebir que aquellas que no recibían el tratamiento. Se especula que la acupuntura estimula el flujo de sangre al útero. Una sesión de acupuntura cuesta más de $100 dólares y se pueden requerir de dos a tres sesiones por semana durante varios meses. Este tratamiento no mejora la fertilidad en mujeres con trompas de Falopio taponadas o con otros problemas estructurales causantes de esterilidad.

Los estudios sobre los efectos que tienen las hierbas, los nutrientes y otros enfoques alternativos en la salud, por lo general, tienen un alcance limitado y son de corta duración. Por esa razón, sus resultados se consideran preliminares hasta que sean confirmados por otros estudios bien diseñados. Habla con tu médico sobre cualquier tratamiento alternativo que estés considerando probar.

Nutrición: algo que tú puedes controlar

A pesar de los mejores esfuerzos, no toda mujer que quiere quedar embarazada lo consigue, y no todos los embarazos culminan en recién nacidos saludables. Aunque es muy importante, la nutrición no es el único factor que afecta la fertilidad o el embarazo. Los problemas surgen debido a una cantidad de factores identificables pero no siempre remediables. Además, probablemente hay cientos de causas de esterilidad y problemas de embarazo que aún no han sido identificados. Esta incertidumbre hace imposible fijar un curso de acción que garantice la concepción y la buena salud del recién nacido. Con tantos misterios, sentirse culpable por problemas de origen desconocido es ilógico y debe evitarse a toda costa. Teniendo esto en cuenta, el mejor camino a seguir es el que está bajo tu control.

Una de las mejores cosas de la nutrición es que los riesgos asociados con hábitos alimenticios pobres casi siempre se pueden eliminar ajustando la dieta. Puede ser tan simple como consumir más de tus frutas y verduras preferidas, comer al desayuno un cereal fortificado con ácido fólico, o tomar una dosis baja de suplemento de hierro. Algunos pasos pueden ser más difíciles, como subir de peso o reducir el consumo de las cosas que más te gustan. Pero estos regalos que le das a tu bebé aún no nacido también te beneficiarán a ti. Tu recompensa puede ser una concepción perfectamente controlada, mayores niveles de energía durante el embarazo, efectos secundarios menos intensos, o un recién nacido totalmente desarrollado que se deja cuidar fácilmente. En los siguientes capítulos se te dará toda la información específica que necesitas para seguir el camino de una nutrición adecuada.

La verdad acerca de la nutrición y las dietas sanas

"Todo en nutrición es relativamente bueno o malo".

—Hipócrates

Bienvenida a Nutrición 101, un curso intensivo sobre cómo las sustancias contenidas en los alimentos afectan la salud. A diferencia de los cursos universitarios típicos, los contenidos han sido condensados, no hay costos de inscripción ni pruebas sorpresa, y no hay que entregar trabajos. Todo está incluido en este libro para brindarte información general y acertada acerca de la nutrición y para ayudarte a tomar las decisiones correctas sobre tu dieta. Usa este capítulo para aprender tanto como quieras, o tan poco como necesites, y recuerda que está aquí si necesitas buscar un dato o si quieres verificar algo que leíste o escuchaste sobre nutrición.

En este capítulo, encontrarás información sobre los nutrientes y otras sustancias que se encuentran en los alimentos y que son benéficas para la salud, los niveles de nutrientes recomendados, el vegetarianismo y orientación sobre cómo llevar una dieta sana. La última sección del capítulo contiene una fórmula para diagnosticar la veracidad de la información nutricional que se da a los consumidores.

Diez principios nutricionales

Sin unos lineamientos puede ser muy difícil determinar si lo que escuchas o lees sobre nutrición es verdad o fantasía. Este capítulo presenta el conocimiento básico, o principios, sobre los cuales se basa la ciencia de la nutrición. Se incluye en la discusión la manera como este conocimiento se puede aplicar a nivel personal para fomentar la salud antes, durante y después del embarazo. Los capítulos posteriores abordan la aplicación del conocimiento sobre nutrición en la fertilidad, el embarazo, la alimentación del bebé y la lactancia. Las verdades básicas sobre nutrición se pueden resumir en diez principios que cambian muy poco con el tiempo y que sirven de fundamento para acrecentar el conocimiento sobre nutrición y salud.

1. El alimento es una necesidad básica de los humanos

El primer principio nutricional es sencillo. Los humanos necesitamos alimento para crecer, reproducirnos y mantenernos saludables. La comida también representa uno de los más grandes placeres terrenales; calma el hambre y produce una sensación de placer y seguridad. Más allá de la supervivencia, el alimento es básico para una vida plena y saludable.

2. El alimento proporciona el sustento necesario para el crecimiento y la salud

El cuerpo humano requiere nutrientes o sustancias químicas específicas que se encuentran en los alimentos, las cuales desempeñan funciones particulares en el organismo. Hay tan sólo seis categorías de nutrientes:

- carbohidratos
- proteínas

- grasas
- vitaminas
- minerales
- agua

Los carbohidratos, las proteínas y las grasas suministran calorías y se conocen con el nombre de *nutrientes energéticos*. Aunque estos tres tipos de nutrientes desempeñan una variedad de funciones, comparten la propiedad de ser la fuente de energía del cuerpo. Las vitaminas, los minerales y el agua se necesitan básicamente para la conversión de los carbohidratos, proteínas y grasas en energía y para el desarrollo y mantenimiento de los músculos, los componentes de la sangre, los huesos y otras partes del cuerpo. El agua sirve como medio para la mayoría de las reacciones químicas que ocurren en el organismo; se necesita para eliminar los desechos a través de la orina y actúa como sistema de refrigeración del cuerpo.

Los nutrientes energéticos

La primera y más importante necesidad del cuerpo es la energía, es decir, las *calorías* suministradas por los alimentos. Las calorías no son un componente de los alimentos. Por el contrario, representan la cantidad de energía suministrada por los carbohidratos, proteínas y grasas contenidos en ellos. La mayoría de los carbohidratos y proteínas proveen cuatro calorías por gramo, mientras que las grasas proporcionan más de dos veces esa cantidad, nueve calorías por gramo (una onza tiene 28 gramos y equivale a dos cucharaditas de líquido). Si has observado la llama que se produce cuando cae una gota de grasa de una porción de carne o hamburguesa a la brasa, habrás visto la fuente de energía que se almacena en la grasa. Los alimentos con alto contenido de carbohidratos o proteínas, como el maíz, la papa, el pescado o los camarones, no arden con la misma intensidad cuando se ponen a la brasa puesto que contienen menos energía. El alcohol, producto de la fermentación de carbohidratos, proporciona siete calorías por gramo. El contenido relativamente alto de energía que tiene el alcohol hace posible la preparación del aguardiente de cerezas y de los *crepes Suzette*.

Cuando consumimos más calorías de las que el cuerpo necesita, gran parte del exceso se convierte en grasa y se almacena para ser usado posteriormente. El cuerpo no es voluntario. Convierte los suministros excesivos de carbohidratos, grasas y proteínas en grasa acumulada. Los carbohidratos también pueden ser acumulados en el cuerpo en forma de glicógeno. Sin embargo, los depósitos de glicógeno son mucho más pequeños que los de grasa. Generalmente estamos limitados a un suministro de unas 1.800 calorías de glicógeno almacenado en los músculos y el hígado. Por el contrario, la capacidad humana para almacenar grasa es extraordinaria y alcanza un promedio de 140.000 calorías en los adultos. Cuando se consumen menos calorías de las necesarias, recurrimos a nuestras reservas de energía, reduciéndolas y reduciendo también nuestro peso corporal.

Hay mucho más por aprender acerca de los nutrientes energéticos. Esta información se presenta de manera condensada en los puntos que siguen.

Carbohidratos

Los carbohidratos son la principal fuente de energía humana en el mundo. Los alimentos ricos en carbohidratos, tales como arroz, papa, granos secos, mandioca o yuca, pasta y pan, son los ingredientes primordiales de la dieta humana en todo el mundo. Estados Unidos y muchos otros países económicamente desarrollados se diferencian del resto del mundo en que los carbohidratos están al margen de los alimentos ricos en proteínas y grasas. Muchas sustancias contenidas en los alimentos son consideradas carbohidratos. Los dos tipos principales son los *azúcares simples* y los *carbohidratos complejos*. El alcohol, puesto que se forma a partir de carbohidratos, se considera una sustancia similar.

Los carbohidratos ahora se clasifican según su *índice glicémico*. Algunos alimentos que los contienen (como la papa, las tortillas y las arvejas) tienen toda una gama de efectos en los niveles de glucosa en la sangre; algunos los incrementan considerablemente mientras que otros no. Los alimentos que aumentan la glucosa en la sangre a niveles relativamente altos requieren más insulina para llevar la glucosa a las células que aquellos que producen niveles más bajos. El índice glicémico (IG) de un alimento se basa en qué tanto éste aumenta el nivel de glucosa en la sangre. Los alimentos con un bajo IG producen niveles inferiores de glucosa y requieren menos insulina que aquellos que tienen índices moderados o altos.

Es tentador clasificar los azúcares y los alimentos muy dulces en el grupo de comidas con alto IG, y los "almidones" (como la papa y el arroz) en alimentos con bajo IG. Pero así no es como funciona. Para conocer el IG de los alimentos, hay que ubicarlos en una tabla (ver Tabla 2.1). Las personas que sufren de diabetes, resistencia a la insulina y otras condiciones relacionadas con niveles de insulina en la sangre están usando cada vez más el IG para seleccionar los alimentos que contienen de carbohidratos.

Azúcares simples

Hay tres azúcares principales que son tan simples como los carbohidratos: glucosa (azúcar de la sangre), fructosa (azúcar de las frutas) y galactosa (azúcar de la leche). El cuerpo convierte rápidamente en glucosa casi toda la fructosa y galactosa que consumimos en los alimentos. La glucosa es la única forma de azúcar que el cuerpo puede usar para producir energía. Los azúcares simples vienen en paquetes de dos unidades de glucosa, fructosa y / o galactosa. La maltosa (azúcar de la malta) contiene dos unidades de glucosa, mientras que la sacarosa (azúcar de mesa) y la miel se forman a partir de glucosa y fructosa. La lactosa (azúcar de la leche) contiene glucosa más galactosa.

La mayoría de los azúcares simples tiene un sabor dulce característico que explica por qué a muchas personas les encanta. Los humanos, como casi todos los mamíferos, nacen con una preferencia por los alimentos dulces. Aún antes de nacer, un feto se mueve hacia una solución de sacarosa inyectada en el vientre materno y se aleja de fluidos con sabor amargo o ácido. Después de nacer, los bebés prefieren

TABLA 2.1   ÍNDICE GLICÉMICO (IG) DE ALGUNOS ALIMENTOS RICOS EN CARBOHIDRATOS

IG Alto (>70)	IG Medio (50 - 70)	IG Bajo (<50)
Bebidas		
Gatorade	Cola	Jugo de manzana
Bebidas energizantes		Jugo de zanahoria
Jugo de naranja	Jugo de toronja	
Soda de naranja	Jugo de piña	
Jugo de tomate		
Panes y cereales		
Rosquillas, trigo entero	Barra de cereal	Salvado mixto
Hojuelas de salvado	Galletas de trigo	Cebada
Pan francés	Pan ácimo	Pan de centeno
Pan de trigo	Couscous	Mandioca o yuca
Pan blanco	Crema de trigo	Musli
Cereal de avena	Croissants	Salvado de avena
Milhojas de coco	Granola	Pasta
Cereal de maíz		Tortillas de maíz/trigo
Hojuelas de maíz	Muffins de arándano	
Corn Pops	Avena	
Tortas	Pancakes	
Palomitas de maíz	Pan pita	
Pasteles de trigo	Arroz blanco / integral	
Pretzels	Salvado con uvas pasas	
Hojuelas de arroz tostado		
Galletas de soda		
Cereales para el desayuno		
Waffles		
Frutas y verduras		
Papas a la francesa	Banano	Manzana
Papa cocida	Maíz	Granos secos
Papa en puré	Mango	Cerezas
Patilla, sandía	Papa al vapor	Toronja
Papa dulce	Uvas	
Puré de garbanzos		
Kiwi		
Naranja		
Durazno		

continúa

**TABLA 2.1   ÍNDICE GLICÉMICO (IG) DE ALGUNOS ALIMENTOS
RICOS EN CARBOHIDRATOS** *(continuación)*

IG Alto (>70)	IG Medio (50 - 70)	IG Bajo (<50)
Pera		
Arveja fresca		
Ciruela		
Ñame		
Azúcares y dulces		
Rollo de fruta	Miel	Fructosa
Glucosa	Mars Bar	Lactosa
Jelly beans		
o caramelos de goma		M&M's, maní
Azúcar de mesa	Chocolate de leche	
Snickers		
Twix		

los líquidos con sabor dulce a otros sabores. Curiosamente, la leche materna tiene un sabor dulce.

En la dieta estadounidense, la mayoría de los azúcares simples son agregados a los alimentos antes de su compra. De la cantidad total de azúcar que se produce, cerca del 65 por ciento es utilizada por la industria de alimentos y bebidas y por los fabricantes de gaseosas, cerveza, vino, productos de pastelería, cereales, dulces y alimentos procesados. Una gaseosa de 12 onzas, por ejemplo, contiene unas ocho cucharaditas de azúcar. Algunos cereales preendulzados contienen cuatro cucharaditas de azúcar agregada por porción. Los azúcares agregados pueden llegar a constituir el 45% del total de calorías del cereal del desayuno. Tú puedes saber cuánta azúcar hay en el cereal que consumes al desayuno, o en muchos otros alimentos, mirando la información nutricional que aparece en el empaque.

¿Hay alguna razón para comerse una porción adicional de culpa junto con tus comidas favoritas? ¿Merecen los dulces la fama de ser perjudiciales para tu salud? ¿Son ellos los causantes de la hiperactividad, la diabetes, la obesidad y la caries dental?

Los azúcares, por sí solos, no son perjudiciales para tu salud ni son los responsables de la hiperactividad en los niños, la diabetes o la obesidad. Sí es verdad que consumir alimentos dulces con frecuencia y no cepillarse los dientes después de comer dulces pegajosos puede producir caries. Además, es mucho más probable que esto les ocurra a personas cuyo sistema local de acueducto no les provea agua fluorizada.

Hay otro problema asociado con los azúcares que depende de la cantidad de alimentos dulces que se consuman. Productos como los dulces, los helados de agua, las gaseosas y las galletas son por lo general muy pobres en vitaminas, minerales y otros componentes benéficos para el organismo. Si se consumen demasiados alimentos dulces, estos reemplazan en la dieta a otros con mayor contenido de nutrientes, como las verduras, las frutas y los cereales. El fuerte consumo de alimentos dulces puede contribuir al aumento de peso y de allí a desórdenes tales como diabetes tipo 2, hipertensión y enfermedades cardiacas.

Carbohidratos complejos

Los carbohidratos complejos están conformados por los almidones, el glicógeno y la fibra dietética (o *fibra*). Nos llegan a través de las plantas y, aunque muchos se forman a partir de la combinación de unidades de glucosa, todos carecen del sabor dulce de los azúcares simples. Puesto que los productos animales contienen muy poco glicógeno, casi todo el almidón de nuestra dieta proviene de las plantas, como los granos secos, la papa, el maíz, el trigo y el arroz. Estas plantas almacenan glucosa en forma de almidón. El almidón que se consume en la dieta es descompuesto en glucosa por las encimas digestivas. Las fuentes alimenticias de almidón no son sólo altas en glucosa, sino que también proporcionan vitaminas, minerales, fibra y otros elementos necesarios para una buena salud.

Las recomendaciones para una dieta saludable indican que del 45 al 65 por ciento del total de nuestras calorías debe provenir de los carbohidratos, particularmente de los alimentos que contienen carbohidratos complejos (ver Tabla 2.2).

TABLA 2.2   ALIMENTOS QUE CONTIENEN CARBOHIDRATOS COMPLEJOS

	Cantidad	Carbohidratos complejos (gramos)	Porcentaje del total de calorías obtenidas de carbohidratos complejos
Cereales y productos derivados			
Arroz	½ taza	21	83
Pasta	½ taza	15	81
Hojuelas de maíz	1 taza	11	76
Avena	1 ½ tazas	12	74
Cheerios	1 taza	11	68
Pan integral	1 tajada	7	60
Fríjoles (cocidos)			
Fríjol blanco	½ taza	11	64
Fríjol rojo	½ taza	12	59
Verduras			
Zanahoria	1 mediana	7	93
Papa	1 mediana	30	85
Maíz	½ taza	10	67
Brócoli	½ taza	2	40

Fibra

La fibra difiere de los almidones en que no es digerida por las enzimas que produce el organismo humano. Puesto que no la digerimos, no se considera una fuente de energía. Los alimentos vegetales, tales como las frutas, las verduras, los productos integrales, las semillas y los granos secos, proporcionan fibra. Aunque no la digerimos, la fibra juega un papel importante en el organismo: da una sensación de llenura, reduce los niveles de glucosa en la sangre después del consumo de alimentos, evita el estreñimiento y disminuye la absorción de colesterol.

Muchos alimentos, como los fríjoles, la papa y el aguacate, esconden muy bien su alto contenido de fibra; no son crocantes y no tienen aspecto fibroso. Sin embargo, están entre las principales fuentes de fibra que tenemos. Otros alimentos crocantes, como las palomitas de maíz, la lechuga y el apio, no son muy ricos en fibra. En pocas palabras, no podemos saber cuál es el contenido de fibra de un alimento por su aspecto o su textura crujiente. La Tabla 2.3 muestra el contenido de fibra de diferentes alimentos y revela las verdades ocultas.

Muchas personas consumen muy poca fibra. Aproximadamente 25 gramos diarios para las mujeres y 38 gramos para los hombres representan un nivel saludable de consumo. Las personas tienen diferente capacidad para tolerar un incremento en los niveles de fibra. Si presentas diarrea después de aumentar tu consumo de fibra, redúcela. Recuerda aumentar tu consumo de líquidos si introduces fibra a tu dieta para evitar el estreñimiento.

Aunque los seres humanos no producimos los tipos de enzimas digestivas necesarias para descomponer la fibra, algunas bacterias que residen en el intestino grueso sí lo hacen. Las bacterias que consumen fibra como alimento no la descomponen completamente; excretan fragmentos de grasa y gases como productos finales de la ingestión de fibra. La incomodidad relacionada con la producción bacteriana de gases por el consumo de fibra disminuye con el tiempo.

Proteína

Hay pocas razones para hablar de la importancia de la proteína ya que la mayoría de las personas están convencidas de ella. La proteína es un componente estructural esencial de todos los seres vivos; está involucrada en casi todos los procesos biológicos que experimenta el ser humano. Aunque se utiliza como fuente de energía, este rol de la proteína es más secundario que primario.

Las proteínas están conformadas por unidades de aminoácidos enlazados en cadenas químicas. En realidad son los aminoácidos, y no las proteínas per se, los necesarios para la salud. Hay 20 aminoácidos que actúan como ladrillos para los miles de proteínas que se construyen en el organismo. De estos, nueve son *esenciales*, queriendo decir

TABLA 2.3   ALIMENTOS QUE CONTIENEN FIBRA

	Cantidad	Fibra (en gramos)
Cereales y		
productos derivados		
All Bran	½ taza	10
Hojuelas de salvado al 40%	1 taza	8
Muffin de salvado	1 grande (4 onzas)	7
Muffin de maíz	1 grande (4 onzas)	7
Cereales de fibra	1 taza	7
Cereal de salvado con uvas pasas	1 taza	7
Salvado	½ taza	6
Cereales de trigo y cebada	¾ taza	6
Macarrón integral	1 taza	5
Galletas de trigo	1 galleta	3
Avena	¾ taza	2
Hojuelas de maíz	¾ taza	2
Pan integral	1 tajada	2
Palomitas de maíz	2 tazas	2
Frutas		
Aguacate en puré	1 taza	7
Frambuesas	1 taza	5
Mango	1 mediano	4
Pera (con cáscara)	1 mediana	4
Fresas	1 taza	4
Manzana (con cáscara)	1 mediana	3
Durazno (con cáscara)	1 mediano	3
Banano o plátano	15 cm de largo	2
Verduras		
Maíz enlatado	½ taza	5
Fríjol blanco	½ taza	5
Papa (con cáscara)	1 mediana	3
Papa (sin cáscara)	1 mediana	2
Brócoli	½ taza	3
Zanahoria hervida	½ taza	3
Arveja fresca	½ taza	3
Repollitas de Bruselas	½ taza	3

continúa

TABLA 2.3   ALIMENTOS QUE CONTIENEN FIBRA *(continuación)*

	Cantidad	Fibra (en gramos)
Berenjena	½ taza	3
Col rizada	½ taza	3
Nueces		
Almendras, coquito del Brasil	1 onza	3
Maní, nueces de pacana / macadamia	1 onza	2
Mantequilla de maní	2 cucharadas	2
Fríjoles		
Fríjol pinto	½ taza	10
Fríjol negro	½ taza	8
Fríjol blanco, rojo	½ taza	7
Garbanzos	½ taza	5
Lentejas	½ taza	5
Arvejas	½ taza	4

con ello que deben ser obtenidos a partir de los alimentos. Los otros once aminoácidos se consideran *no esenciales* porque pueden ser producidos por el cuerpo. No obstante, siguen desempeñando funciones necesarias para el organismo y son tan importantes para la salud como los aminoácidos esenciales. Se llaman *no esenciales* porque no debemos obtenerlos de los alimentos.

Las proteínas se clasifican según su capacidad para contribuir a la construcción de tejido proteínico en el cuerpo. No todas las fuentes de proteína hacen esta tarea igualmente bien; todo depende de los aminoácidos esenciales que contengan. Las pruebas de *calidad* de las proteínas muestran qué tanto sirven para el desarrollo y mantenimiento de los tejidos proteínicos del cuerpo.

Calidad de la proteína

Las proteínas se diferencian de los carbohidratos y las grasas en que su calidad es variable. En términos generales, los productos animales proporcionan proteína de alta calidad, mientras que la de los alimentos vegetales es inferior. Los seres humanos no podrían crecer, reproducirse o mantenerse saludables si no consumieran proteínas de alta calidad, sin importar cuánta proteína consuman.

Las proteínas de alta calidad contienen todos los aminoácidos esenciales en las cantidades necesarias para contribuir a la formación de tejido proteínico en el cuerpo. Si en las fuentes de proteína de la dieta falta alguno de los aminoácidos esenciales, no se forman los tejidos proteínicos, ni siquiera los de aquellas proteínas que se podrían construir a partir de los aminoácidos disponibles. Puede parecer ineficiente que el cuerpo suspenda la construcción de tejido proteínico por la falta de uno o dos aminoácidos. Sin embargo, si esto no sucediera, las células terminarían haciendo una selección desbalanceada de proteínas que afectaría seriamente sus funciones. Sin los niveles necesarios de cada aminoácido esencial, las proteínas consumidas sólo se pueden utilizar para producir energía.

Las fuentes de proteína que contienen todos los aminoácidos esenciales en las cantidades necesarias para contribuir a la construcción de tejido proteínico se consideran de alta calidad y se llaman *proteínas completas*. Entre ellas están las que encontramos en productos animales como la carne, la leche y los huevos. Las *proteínas incompletas* carecen de uno o más aminoácidos. Con excepción de la proteína de soya para adultos, las proteínas de origen vegetal son incompletas. No obstante, esta deficiencia se puede subsanar combinándolas para obtener una fuente completa de proteína. La combinación de un grano como el arroz con una legumbre como el fríjol pinto proporciona una fuente completa de proteína. De las plantas se pueden obtener proteínas complementarias, combinando arroz y arvejas frescas, bulgur y fríjoles, cebada y fríjoles, maíz y fríjoles, maíz y fríjol blanco, semillas y arvejas frescas. Aunque se solía pensar que era necesario consumir proteínas complementarias en una misma comida, esta idea ha sido revaluada.

Las dietas vegetarianas excesivamente estrictas o pobremente planeadas, en especial cuando son consumidas por personas con fuerte necesidad de nutrientes (como los niños y las mujeres en embarazo), pueden poner en peligro la salud. Sin embargo, las dietas vegetarianas bien planeadas son ricas en nutrientes y favorecen la salud.

Los adultos necesitan aproximadamente 50 gramos de proteína al día, y la mayoría de la población adulta estadounidense consume mucho más que eso. Se recomienda que entre el 10 y el 35 por ciento de las calorías se obtengan de la proteína. Puedes calcular si estás consumiendo la cantidad correcta observando la Tabla 2.4.

Grasas

Las grasas son un grupo de sustancias que se encuentran en el organismo y tienen una característica importante en común: se disuelven en grasa y no en agua. Si alguna vez has intentado mezclar vinagre y aceite antes de vertirlos a una ensalada, has observado de primera mano el principio de la solubilidad del agua y la grasa.

Las grasas son en realidad una subcategoría de sustancias solubles en grasa llamadas *lípidos*. Estos incluyen todo tipo de grasas y aceites. Por lo general, las grasas se diferencian de los aceites por su propiedad de ser sólidas a temperatura ambiente. La grasa sólida generalmente es rica en grasa saturada y es de origen animal. La mantequilla, la manteca de cerdo y la grasa animal pertenecen a esta categoría porque no se derriten a temperatura ambiente. Por el contrario, los aceites son líquidos a temperatura ambiente; contienen básicamente grasas no saturadas obtenidas de las plantas. Un aceite líquido puede ser transformado en una grasa sólida mediante la adición de hidrógenos, proceso que se llama *hidrogenación* del aceite. Las grasas hidrogenadas, como la margarina y la mantequilla, contienen grasas no saturadas en abundancia.

El proceso de hidrogenación convierte algunas grasas no saturadas en grasas trans. Estos tipos de grasa contribuyen a la obstrucción de las arterias. La implementación de mejores técnicas de procesamiento y las nuevas exigencias de identificación del contenido de grasas trans en los alimentos empacados están llevando a una reducción sustancial de los niveles de estas grasas perjudiciales en los alimentos procesados.

TABLA 2.4   ALIMENTOS QUE CONTIENEN PROTEÍNA

Alimento	Cantidad	Gramos	Porcentaje del total de calorías
Productos animales			
Bistec magro	3 onzas	26	60
Pollo al horno sin piel	3 onzas	24	60
Hamburguesa magra	3 onzas	24	34
Atún en agua	3 onzas	24	89
Carne a la brasa (rosbif)	3 onzas	23	45
Salmón cocido	3 onzas	23	50
Chuleta de cerdo, magra	3 onzas	20	59
Pescado (abadejo)	3 onzas	19	4
Requesón bajo en grasa	½ taza	14	69
Yogur bajo en grasa	1 taza	13	34
Camarones	3 onzas	11	84
Leche descremada	1 taza	9	40
Leche entera	1 taza	8	23
Leche, 2% de grasa	1 taza	8	26
Queso holandés	1 onza	8	30
Queso cheddar	1 onza	7	25
Huevo	1 mediano	6	32
Granos secos y nueces			
Tofu	½ taza	14	38
Soya cocida	½ taza	10	33
Maní	¼ taza	9	17
Fríjol negro, cocido	½ taza	8	26
Mantequilla de maní	2 cucharadas	8	17
Nueces	¼ taza	8	14
Almendras	¼ taza	7	13
Fríjol blanco cocido	½ taza	6	27
Arveja seca cocida	½ taza	5	31
Cereales			
Fideos cocidos	1 taza	7	25
Maíz	1 taza	5	29
Avena cocida	1 taza	5	15
Macarrón cocido	1 taza	5	13

continúa

TABLA 2.4   ALIMENTOS QUE CONTIENEN PROTEÍNA *(continuación)*

Alimento	Cantidad	Gramos	Porcentaje del total de calorías
Arroz blanco cocido	1 taza	4	11
Arroz integral cocido	1 taza	4	10
Pan integral	1 tajada	2	15
Pan blanco	1 tajada	2	13

Las grasas que obtenemos de los alimentos nos proporcionan no sólo energía sino también nutrientes solubles en grasa; contienen ácidos grasos esenciales y vitaminas A, D, E y K, solubles en grasa. Así que la razón por la cual necesitamos grasas en nuestra dieta es en parte obtener el suministro de los nutrientes esenciales que ellas contienen. Las grasas son importantes para nuestras papilas gustativas puesto que la grasa aumenta el sabor de los alimentos. La grasa en nuestro cuerpo acolchona los órganos, ayuda a mantener la temperatura corporal normal y es un componente estructural de todas las membranas celulares y nerviosas.

Las recomendaciones sobre el consumo de grasa han cambiado sustancialmente durante los últimos años. En lugar de sugerir que la gente consuma una cierta cantidad de grasa, las recomendaciones apuntan al tipo de grasa. Las grasas que se consideran saludables son las *no saturadas;* dos ácidos grasos omega-3, el *EPA* o ácido eicosapentanoico, y el *DHA* o ácido docosahexanoico, ahora clasifican en la lista de grasas saludables. Estos dos ácidos grasos ayudan a prevenir enfermedades cardiacas, reducen la presión arterial y los niveles de triglicéridos, disminuyen la resistencia a la insulina, favorecen la cognición y promueven el desarrollo fetal e infantil. Ahora las personas le prestan más atención a las grasas no saludables entre las cuales están las saturadas y las trans, lo mismo que los alimentos ricos en colesterol.

El alto consumo de grasa está asociado con el consumo excesivo de calorías, la obesidad, ciertos tipos de cáncer y la diabetes. Las dietas altas en grasas saturadas favorecen las enfermedades cardiacas especialmente en los hombres. En las etiquetas de información nutricional de los empaques se identifican los gramos de grasa contenidos en una porción del alimento y el porcentaje de calorías derivadas de las grasas. También aparecen los gramos de grasa saturada, grasa monoinsaturada, grasa poliinsaturada, grasa trans y colesterol contenidos en una porción. Observa la Tabla 2.5 para identificar el contenido de grasa de varios alimentos comunes.

Colesterol

El colesterol es un químico, pariente cercano de la grasa. Es un líquido claro, aceitoso, que se encuentra distribuido tanto en las porciones grasas como en las magras de muchos productos animales. También es producido por el hígado del hombre; es un componente de todas las membranas celulares. El cuerpo utiliza el colesterol para producir hormonas y vitamina D. La carne de res, las aves y los mariscos proporcionan de 30 a 80 mg de colesterol por porción de 3 onzas, mientras que los productos lácteos suministran menos de 30 mg por porción. El hígado y los huevos son las dos fuentes más ricas de colesterol en nuestra dieta. El colesterol no "engorda". Nuestro organismo no lo utiliza como fuente de energía.

Se recomienda consumir menos de 300 mg de colesterol al día y la mayoría de las mujeres consumen menos de esa cantidad. De hecho, el consumo de colesterol está mucho menos asociado con enfermedades del corazón que el consumo de grasas saturadas o trans. Además, aún no se ha demostrado si el consumo de grasas saturadas y el alto nivel de colesterol aumentan el riesgo de enfermedades cardiacas en la mayoría de las mujeres.

Vitaminas y minerales

Los seres humanos necesitan las trece vitaminas y los quince minerales enunciados en la Tabla 2.6. Si ves otras sustancias rotuladas como vitaminas u otros minerales calificados como "esenciales", son falsos. Esta regla aplica, por ejemplo, a la lecitina, las enzimas, las coenzimas

TABLA 2.5   ALIMENTOS QUE CONTIENEN GRASA

Alimento	Cantidad	Contenido de grasa	
		Gramos	Porcentaje del total de calorías
Grasa y aceites			
Salsa	¼ taza	14	77
Mayonesa	1 cucharada	11	99
Doble crema	1 cucharada	6	93
Aderezo para ensalada	1 cucharada	6	83
Aceite	1 cucharada	5	100
Mantequilla	1 cucharada	4	100
Margarina	1 cucharada	4	100
Carnes, huevos			
Hamburguesa Whopper	8.9 onzas	32	48
Hamburguesa Big Mac	6.6. onzas	31	52
Quarter Pounder con queso	6.8 onzas	29	50
Cerdo o res con grasa	3 onzas	18	62
Salchicha	4 porciones	18	77
Hamburguesa regular (20 por ciento grasa)	3 onzas	17	62
Perro caliente	1 (2 onzas)	17	83
Pollo frito con piel	3 onzas	14	53
Salmón	3 onzas	11	46
Salami	2 onzas	11	68
Hamburguesa magra (10 por ciento de grasa)	3 onzas	10	45
Filete	3 onzas	10	47
Chuleta magra	3 onzas	9	44
Tocineta	3 onzas	9	74
Salchicha ahumada	1 onza	8	80
Atún en aceite, escurrido	3 onzas	7	38
Huevo	1	6	68
Lomo magro	3 onzas	5	29
Pollo al horno sin piel	3 onzas	4	25
Carne de venado	3 onzas	3	14
Hamburguesa extra magra (4 por ciento grasa)	3 onzas	1	13

continúa

TABLA 2.5   ALIMENTOS QUE CONTIENEN GRASA *(continuación)*

Alimento	Cantidad	Contenido de grasa	
		Gramos	**Porcentaje del total de calorías**
Camarones hervidos	3 onzas	1	7
Abadejo	3 onzas	1	7
Leche y productos lácteos			
Queso cheddar	1 onza	9.5	74
Leche entera	1 taza	8.5	49
Queso americano	1 onza	6	66
Requesón normal	½ taza	5.1	39
Leche (2 por ciento de grasa)	1 taza	5	32
Leche (1 por ciento de grasa)	1 taza	2.7	24
Requesón (1 por ciento de grasa)	½ taza	1.2	13
Leche descremada1	taza	0.4	4
Otros			
Papas a la francesa	20 papas	20	49
Nueces	1 onza	17.6	87
Maní	¼ taza	17.5	75
Pita vegetariana11738			
Semillas de girasol	¼ taza	17	77
Aguacate	½	15	84
Almendras	1 onza	15	80
Castañas	1 onza	13.2	73
Papas fritas	1 onza (13 papas)	11	61
Galletas con chispas de chocolate	4	11	54
Mantequilla de maní	1 cucharada	8	76
Nachos	1 onza (10 unidades)	6.2	41
Puré de papa	½ taza	4.5	41
Aceitunas	4 medianas	1.5	90
Papa al horno	1	0.2	1
Dulces			
Chocolate de leche	1.6 onzas	14	53
Almond Joy	1.8 onzas	14	50
Twix	1 onzas	14	45

continúa

TABLA 2.5   ALIMENTOS QUE CONTIENEN GRASA *(continuación)*

Alimento	Cantidad	Contenido de grasa	
		Gramos	Porcentaje del total de calorías
Baby Ruth	2.1 onzas	14	43
M & M's de maní	1.7 onzas	13	47
Kit Kat	1.5 onzas	12	47
Snickers	2.1 onzas	13	42
Rolo, 10 dulces	1.9 onzas	12	40
Deditos de mantequilla	2.1 onzas	12	39
Chocolate semidulce	2.3 onzas	12	34
Chocolatina Crunch de Nestlé	1.6 onzas	11	45
Milky Way	2.2 onzas	11	35
M & M's sencillos	1.7 onzas	10	39
Three Musketeers	2.1 onzas	9	31
Pasas con chocolate	1.6 onzas	8	38
Milky Way II	2.2 onzas	5.5	26

y otras sustancias que se venden como esenciales para la salud pero que son producidas por el cuerpo.

En comparación con los nutrientes energéticos, el organismo necesita las vitaminas y los minerales en pequeña cantidad. Las vitaminas facilitan la producción de energía en los tejidos del cuerpo y ayudan a protegerlo contra diferentes enfermedades. Los minerales actúan como componentes estructurales de los tejidos y son necesarios para regular la producción de energía, el funcionamiento del sistema nervioso y la cantidad de agua en el cuerpo.

Cuatro de las vitaminas son liposolubles (vitaminas D, E, K y A, o DEKA), mientras que las otras nueve son hidrosolubles. Debido a que las primeras son almacenadas en los tejidos adiposos, por lo general tenemos suficiente de estas vitaminas para varios meses cuando el consumo en la dieta es insuficiente. A excepción de la vitamina B_{12}, que se puede almacenar en cantidades suficientes para varios años, las vitaminas hidrosolubles no se guardan en grandes cantidades. Los

TABLA 2.6   VITAMINAS Y MINERALES QUE LOS SERES HUMANOS NECESITAN

Vitaminas	Minerales
Vitaminas del complejo B	Calcio
Tiamina (B_1)	Cloruro
Riboflavina (B_2)	Cromo
Niacina (B_3)	Cobre
B_6 (piridoxina)	Fluoruro
Folato (folacina, ácido fólico)	Yodo
B_{12} (cianocobalamina)	Hierro
Biotina	Magnesio
Ácido pantoténico (pantotenato)	Manganeso
Vitamina C (ácido ascórbico)	Potasio
Vitamina A (retinol)	Molibdeno
Vitamina D (1.25 dihidroxi-colicalciferol)	Fósforo
Vitamina E (tocoferol)	Selenio
Vitamina K (filoquinona, menadiona)	Sodio
	Zinc

niveles inadecuados de consumo de vitaminas hidrosolubles producen síntomas de deficiencia en unas pocas semanas o meses después de que se suspende el suministro de las mismas en la dieta. Si no consumimos la cantidad suficiente de cada una de las vitaminas y minerales esenciales, se empiezan a desarrollar enfermedades de deficiencia específica. Por el contrario, si consumimos cantidades excesivas de vitaminas y minerales, se presentan reacciones de sobredosis.

En el Anexo A se describen las diversas funciones de las vitaminas y los minerales, al igual que las consecuencias de su consumo excesivo o deficiente, los principales alimentos que los contienen y otra información pertinente.

Conservación del contenido de vitaminas y minerales de los alimentos

Durante el almacenamiento y la preparación de los alimentos pueden ocurrir pérdidas importantes de vitaminas y minerales. Cocinar excesivamente los alimentos, mantenerlos cocinados en un fuente de calor, o prepararlos en gran cantidad de agua y desecharla una vez listos, todo conduce a una pérdida de vitaminas y minerales (cocinar excesivamente las verduras debería ser un delito nutricional. Además de causar la pérdida de vitaminas y minerales, ¡hace que la gente las deteste!). Los granos y arvejas frescas, si se mantienen calientes durante tres horas antes de servirse, pierden más de la mitad de su contenido de tiamina, riboflavina y vitamina C. Aproximadamente un tercio del contenido vitamínico de las verduras hervidas se bota junto con el agua de la cocción. A continuación, se da una lista de consejos para preservar el contenido de vitaminas y minerales de los alimentos.

Cómo almacenar los alimentos

- Almacena los alimentos el menor tiempo posible.
- Prefiere los productos frescos, liofilizados y congelados a los muy procesados.
- Guarda las verduras y frutas que no necesitan refrigeración en un lugar fresco, seco y limpio.
- Guarda las sobras y los alimentos perecederos bien envueltos en nevera o refrigerador cuya temperatura apenas supere los 0°C.
- Evita el ciclo congelar-descongelar-congelar. Los alimentos descongelados, calentados y vueltos a congelar sufren mayor pérdida de contenido vitamínico.

Cómo preparar los alimentos

- No cocines excesivamente los alimentos, especialmente las verduras. Cocina la mayoría de éstas hasta el punto en que todavía estén un poco crujientes.
- Prepara los alimentos en microondas, sofríelos, cocínalos al vapor o ásalos. Usa el agua apenas necesaria para evitar que se peguen.
- Sirve los alimentos tan pronto hayan sido preparados (o sé la primera en la fila de la cafetería). Calcula el tiempo de cocción de los alimentos para que al servirlos todos estén listos al mismo tiempo.

Nutrientes antioxidantes

El betacaroteno (un precursor de la vitamina A), las vitaminas E y C, y el selenio (un mineral esencial) actúan como *antioxidantes*. Una variedad de pigmentos vegetales y algunas enzimas producidas por el cuerpo también actúan como antioxidantes. Estas sustancias previenen o reparan el daño causado a las células por exposición al oxígeno, el ozono, el humo y otros agentes oxidantes. La falta de niveles suficientes de antioxidantes en los tejidos del cuerpo está asociada con envejecimiento prematuro, algunos tipos de cáncer, inflamaciones, bronquitis, enfisemas, enfermedades cardiacas, cataratas y complicaciones en el embarazo. Las personas que consumen cinco o más porciones de fruta y verdura al día tienden a tener mejores niveles de consumo de antioxidantes que aquellas que las consumen con menos frecuencia.

Otros componentes importantes de los alimentos

Hay una amplia variedad de sustancias en los alimentos que no son necesarias en nuestra dieta pero que desempeñan funciones importantes en el cuerpo. Estamos apenas empezando a descubrir los beneficios para la salud de compuestos tales como: los flavonoles que se encuentran en las uvas negras y el vino tinto; los pigmentos vegetales, como las antocianinas (rojo púrpura), el licopeno (rojo) y la luetina (amarillo, verde) y los isoflavones en productos derivados de la soya. Cuando se consumen regularmente, estos "fitoquímicos" parecen brindar protección contra una serie de desórdenes entre los cuales están algunas enfermedades infecciosas, cataratas, enfermedades cardiacas y algunos tipos de cáncer. Es demasiado pronto para saber la cantidad ideal que se debe consumir. La recomendación para los adultos de consumir dos tazas de fruta y 2-3 tazas de verduras al día se basa, en parte, en los beneficios para la salud de estos componentes, no nutrientes, contenidos en los alimentos vegetales.

Cabe anotar que los vegetales superan a los extractos o pastillas fitoquímicas en la generación de estos beneficios. Los fitoquímicos de las plantas parecen actuar en combinación con los nutrientes de los alimentos para afectar favorablemente la salud.

Niveles recomendados de consumo de nutrientes

Los Consumos Alimenticios de Referencia (CAR) son el estándar más ampliamente usado para identificar los niveles deseables de consumo de nutrientes (ver Tabla 2.7). Estos valores de referencia son específicos para cada edad, sexo y condición (embarazo o lactancia).

Las cantidades de nutrientes establecidas en las tablas CAR con respecto a los consumos recomendados son suficientes para satisfacer las necesidades del 98 por ciento de las personas saludables a lo largo de todo su ciclo de vida. Se deja un margen de seguridad en los valores de manera que los consumos que se aproximan a los niveles recomendados sean suficientes. Las tablas CAR también incluyen los "Niveles Máximos de Consumo Tolerable", es decir, los niveles de consumo de nutrientes que pueden causar daño si se exceden (en Internet puedes encontrar información adicional sobre las CAR, buscando el término "Consumos Alimenticios de Referencia").

3. Problemas de salud relacionados con la nutrición originada al interior de las células

Todos los procesos corporales necesarios para el crecimiento y la salud ocurren al interior de las células y en el fluido que las rodea. Hay más de cien billones de células en el cuerpo que contribuyen a estos procesos. Las funciones de las células se mantienen gracias a los nutrientes que ellas reciben. Los problemas de salud pueden surgir cuando las necesidades de nutrientes que una célula tiene difieren del suministro disponible. Un suministro excesivo de vitamina A en las células durante el crecimiento, por ejemplo, puede causar formación ósea anormal; una cantidad muy deficiente de calcio y de vitamina D en cualquier momento de la vida disminuye la densidad de los huesos. Somos tan saludables como lo sean nuestras células.

TABLA 2.7   CONSUMOS ALIMENTICIOS DE REFERENCIA PARA MUJERES EMBARAZADAS Y LACTANTES

	Mujeres	Embarazo	Lactancia
Energía, calorías	2403	13-26 semanas: +340 26-40 semanas: +452	0-6 meses: +330 6-12 meses: +400
Proteínas, gramos	46	71	71
Fibra, gramos	25	28	29
Agua, tazas	11	12.5	16
Vitaminas			
A, mcg	700 (2330 IU)	700 (2564 IU)	1300 (2330 IU)
C, mg	75	85	120
D, mcg	5 (200 IU)	5 (200 IU)	5 (200 IU)
E, mg	15 (22 IU)	15 (22 IU)	19 (28 IU)
K, mcg	90	90	90
Tiamina (B_1), mg	1.1	1.4	1.4
Riboflavina (B2), mg	1.1	1.4	1.6
Niacina (B3), mg	14	18	17
B_6, mg	1.3	1.9	2
Folato, mcg	400	600	500
B_{12}, mcg	2.4	2.6	2.8
Ácido pantoténico, mg	5	6	7
Biotina, mcg	30	30	35
Minerales			
Calcio, mg	1000	1000	1000
Cromo, mcg	25	30	45
Cobre, mcg	900	1000	1300
Fluoruro, mg	3	3	3
Yodo, mcg	150	220	290
Hierro, mg	18	27	9
Magnesio, mg	310	350	310
Manganeso, mcg	1.8	2	2.6
Molibdeno, mg	45	50	50
Fósforo, mg	700	700	700
Selenio, mcg	55	60	70
Zinc, mg	8	11	12
Sodio, g	1.5	1.5	1.5
Coruro, g	2.3	2.3	2.3
Potasio, g	4.7	4.7	5.1

Los niveles de consumo recomendados representan la RDA (Cantidad Alimenticia Recomendada) y el AI (Consumo Adecuado) para mujeres entre los 19 y los 30 años. Nota: mcg = microgramos (también abreviado como ug); mg = miligramos; g = gramos.

Fuente: Datos tomados de los Informes de Consumo Alimenticio de Referencia (CAR) 1997-2002, publicados por la Academia Nacional de Ciencias. Puedes obtener las tablas de CAR que contienen las necesidades de nutrientes para personas de todas las edades en nal.usda.gov/fnic/etext/000105.html.

4. La mala nutrición puede provenir de niveles inadecuados o excesivos de consumo de nutrientes

La idea de este principio es que se puede llegar a la desnutrición ya sea por consumir muy pocos o demasiados nutrientes. Hay un rango de consumo que es compatible con el funcionamiento óptimo de dichos nutrientes en el cuerpo. Hasta cierto punto, el cuerpo se puede adaptar a los altos o bajos consumos de nutrientes, utilizando aquellos que tiene de reserva o eliminando los niveles excesivos a través de la orina o la materia fecal. Las enfermedades causadas por deficiencia de nutrientes o los síntomas de una sobredosis de los mismos ocurren cuando excedemos la capacidad del cuerpo para ajustarse a los niveles de consumos altos o bajos. Por ejemplo, si consumimos muy poca vitamina C, el cuerpo recurre a sus limitadas reservas de dicha vitamina; cuando estas reservas se terminan, empiezan a desarrollarse signos de una deficiencia. Los síntomas de deficiencia pueden comenzar hasta un mes después de haber dejado de consumir la vitamina. La primera señal de deficiencia generalmente es la demora en la sanación de una herida. Si se deja que avance, la deficiencia de vitamina C conlleva a fácil sangrado de las encías, sensación de dolor y aparición de moretones al tocar al individuo, y crecimiento anormal de los huesos. El consumo excesivo de vitamina C (más de un gramo por día) produce diarrea y puede contribuir al desarrollo de cálculos renales. Casi todos los casos de sobredosis de vitaminas y minerales resultan del uso excesivo de suplementos alimenticios.

5. Los seres humanos tienen mecanismos de adaptación para manejar las fluctuaciones en el consumo de nutrientes

El cuerpo humano puede manejar niveles altos o bajos de nutrientes hasta cierto grado. Puede disminuir la absorción de algunos nutrientes cuando los niveles de consumo o de almacenamiento en el cuerpo son altos, eliminar el exceso de ellos en la orina o la materia fecal y almacenar los nutrientes necesarios en diferentes tejidos y órganos. Estos mecanismos que traemos incorporados constituyen una defensa importante contra las enfermedades por deficiencia o toxicidad, entre otros problemas de salud. Sin embargo, no nos protegen de todas las consecuencias de una mala nutrición.

6. La desnutrición es el resultado de condiciones y dietas pobres, enfermedades, factores genéticos, o una combinación de estas causas

Las personas pueden llegar a la desnutrición ya sea por niveles inadecuados o excesivos de consumo de nutrientes o debido a que las funciones corporales están impedidas por la predisposición genética, cirugías, mala salud o determinados medicamentos. Las úlceras que sangran, por ejemplo, son una causa común de deficiencia de hierro en las personas mayores. Las personas cuya condición causa el almacenamiento excesivo de hierro sufren una sobredosis de hierro. El daño de las funciones corporales en personas con cáncer y sida con frecuencia lleva a la desnutrición.

7. Algunas personas corren más riesgo de tener una alimentación inadecuada que otras

El riesgo de una mala nutrición no lo comparten todas las personas por igual. Las personas que tienen una fuerte necesidad de nutrientes por su condición de embarazo, lactancia, crecimiento, enfermedad, o recuperación de una enfermedad o cirugía, desarrollan más rápidamente un estado de desnutrición cuando hay escasez de alimentos que las personas saludables. En el caso de hambrunas generalizadas, tales como las inducidas por desastres naturales o por guerras, la salud de los grupos vulnerables en términos nutricionales se ve comprometida más rápidamente y de manera más generalizada. En el momento en que ocurre una escasez de alimentos, cuanto más joven sea la persona, más duraderos serán los efectos nocivos sobre su salud y desarrollo mental.

8. La mala nutrición puede incidir en el desarrollo de enfermedades crónicas

La deficiencia de vitaminas y minerales y las enfermedades por sobredosis de los mismos no son los únicos problemas de salud relacionados con la mala nutrición. Las dietas inadecuadas juegan un papel importante en el desarrollo de enfermedades cardiacas, hipertensión, diabetes, cáncer, osteoporosis, enfermedades dentales, embarazos mal terminados y otros problemas de salud. La mala nutrición durante la gestación y la infancia pueden conllevar a mayor número de enfermedades más tarde en la vida.

9. La adecuación, la variedad y el equilibrio son la clave de una dieta saludable

Las dietas saludables contienen muchos alimentos diferentes que en su conjunto proporcionan las calorías y nutrientes en las cantidades necesarias para una buena salud. La variedad es el pilar fundamental de una dieta adecuada y balanceada puesto que ningún alimento (excepto la leche materna para los recién nacidos) proporciona todos los nutrientes que necesitamos. La mayoría de los alimentos ni siquiera están cerca de hacerlo.

Las dietas saludables se construyen alrededor de alimentos, no de suplementos, ya que hay muchas sustancias saludables en los alimentos básicos que no están disponibles en suplementos. Si tienes que escoger entre alimentos y suplementos, debes escoger los alimentos primero.

10. No hay alimentos "buenos" ni "malos"

A menos que estemos hablando de leche cortada o de champiñones venenosos, no hay alimentos "buenos" ni "malos". La gente piensa que el brócoli y el pan integral son buenos. Sin embargo, te morirías si eso fuera todo lo que comieras. Los dulces y los postres generalmente son calificados de "malos" pero, en cantidades limitadas, pueden ser parte de una dieta adecuada y balanceada. Las dietas adecuadas están hechas de un conjunto de alimentos que comemos en el transcurso de uno o de varios días. Es la suma de los aportes de cada alimento lo que hace que una dieta sea saludable o no.

Como diseñar una dieta saludable

Relájate un momento, cierra los ojos por un segundo y respira profundo. Ahora préstale toda tu atención a estos alimentos:

- Un durazno jugoso y dorado. Está tan maduro que al morderlo se le sale el jugo y se escurre por la comisura de tus labios.
- Un pavo de Acción de Gracias todavía dorándose en el horno y ese delicioso aroma que impregna toda la cocina.
- Una lonja de pan casero, recién salido del horno, que hasta ahora se está enfriando.
- Un tomate fresco totalmente maduro que se derrite en tu boca.

Si se te está haciendo agua la boca y estás lista para salir a comprar unos duraznos bien maduros, haz encontrado el equilibrio entre el buen sabor y lo que es bueno para ti.

Tener una dieta saludable debe significar comer los alimentos que te gustan. Si no es así, o si te implica demasiado esfuerzo, la dieta no va a durar. Las dietas saludables son aquellas que la gente puede mantener y disfrutar toda una vida. El truco para comenzar una dieta duradera es planear y escoger los alimentos que te gustan y que son nutritivos.

Para ayudar a los consumidores a decidir lo que constituye una dieta saludable, el Departamento de Salud y Servicios Humanos y el Departamento de Agricultura de Estados Unidos han desarrollado y actualizan periódicamente los *Dietary Guidelines for Americans [Directrices alimentarias para los estadounidenses]* (health.gov/dietaryguidelines). La versión 2005 de estos lineamientos proporciona las pautas de una dieta saludable e invita a los norteamericanos a:

- Comer una variedad de alimentos ricos en nutrientes, incluyendo verduras, frutas, productos integrales y productos lácteos bajos en grasa o libres de ella.
- Balancear el consumo de calorías con el gasto.
- Escoger alimentos y bebidas bajos en grasas saturadas y trans, colesterol, sal y azúcares agregados.
- Escoger alimentos con grasas monoinsaturadas y poliinsaturadas y carnes magras.
- Hacer alguna actividad física regularmente (durante unos 60 minutos todos los días de la semana, si es posible).
- Escoger alimentos ricos en fibra.
- Consumir bebidas alcohólicas con moderación o evitarlas.

El capítulo 11 te ofrece una manera de llevar a la práctica las recomendaciones para comer saludablemente. Las recetas que en él se incluyen fueron desarrolladas por la autora para garantizar buen sabor y la inclusión de los nutrientes esenciales que necesitan las mujeres antes, durante y después del embarazo. Se incluyen recetas vegetarianas y no vegetarianas, que vienen acompañadas de un análisis del contenido calórico y nutricional.

Guía Alimenticia MiPirámide

¿Cómo seleccionas la combinación de alimentos que produce una dieta saludable? Sigue la ruta de la Guía Alimenticia "MiPirámide" (Figura 2.1).

El Departamento de Agricultura de Estados Unidos (USDA) publicó esta versión de la guía de selección de alimentos en el año 2005. Esta herramienta de planeación recomienda cantidades específicas de alimentos de cada grupo alimenticio con base en las necesidades calóricas de cada persona (ver Tabla 2.8).

TABLA 2.8   RECOMENDACIONES DE CONSUMO ALIMENTICIO DIARIO Y ACTIVIDAD FÍSICA DE MIPIRÁMIDE PARA DISTINTOS REQUERIMIENTOS DE CALORÍAS POR DÍA

	1 800	2000	2200	2400
Cereales, onzas*	6	6	7	8
Verduras, tazas**	2½	2½	3	3
Frutas, tazas	1½	2	2	2
Leche, tazas	3	3	3	3
Carne y granos, onzas	5	5½	6	6½
Aceites, cucharaditas	5	5½	6	7
Otros, calorías	195	250	290	360

Actividad física: al menos 30 minutos de ejercicio moderado diariamente.

* La mitad de esta cantidad deben ser productos integrales.

** Incluir verduras verdes oscuras y de otros colores.

En la escogencia de alimentos se deben incluir productos integrales, productos lácteos bajos en grasa, carnes magras, y una variedad de vegetales y frutas de distintos colores. La Tabla 2.9 contiene una lista de estos y otros alimentos que se incluyen en los grupos. Sin embargo, MiPirámide no hace recomendaciones específicas para mujeres gestantes o lactantes, ni para vegetarianos.

Las dietas basadas en grupos de alimentos, por lo general, le dan cabida a una o dos porciones diarias de alimentos que comes simplemente por gusto. Debido a su mayor necesidad de calorías, las personas muy activas físicamente y las mujeres embarazadas y lactantes pueden necesitar las calorías suministradas por postres y refrigerios.

FIGURA 2.1   GUÍA ALIMENTICIA MIPIRÁMIDE*

continúa

*www.mypyramid.gov

FIGURA 2.1   GUÍA ALIMENTICIA MIPIRÁMIDE *(continuación)*

GRANOS La mitad de ellos deben ser enteros	VERDURAS Varía tus verduras	FRUTAS Concéntrate en las frutas	PRODUCTOS LÁCTEOS Consume alimentos ricos en calcio	CARNES Y FRIJOLES Prefiere lo magro con proteínas
Come al menos 3 onzas de cereal, pan, galleta, arroz o pasta integral todos los días. 1 onza equivale aprox. a 1 tajada de pan, una taza de cereal para el desayuno, o ½ taza de arroz cocido, cereal o pasta.	Come más hortalizas de color verde oscuro, como brócoli, espinaca u otras de hojas verdes. Come más vegetales de color amarillo, como zanahoria y batatas. Come más legumbres secas, como frijol pinto, frijol rojo y lentejas.	Come frutas variadas. Consume frutas frescas, congeladas, enlatadas o deshidratadas. No se te vaya la mano con los jugos de fruta.	Prefiere lo bajo en grasa o descremado cuando escojas leche, yogur y otros productos lácteos. Si no consumes o no puedes tomar leche, escoge productos deslactosados u otras fuentes de calcio, como alimentos y bebidas fortificadas.	Escoge carnes y aves magras o bajas en grasa. Cómelas al horno, asadas o a la parrilla. Varía tu rutina de proteínas, come más pescado, legumbres, arveja, maní y semillas.

Para una dieta de 2.000 calorías, se deben consumir las cantidades indicadas abajo para cada grupo de alimentos. Para saber cuáles son las cantidades correctas para ti, consulta la página MyPyramid.gov

Consume 6 onzas diarias.	Consume 2½ tazas diarias.	Consume 2 tazas diarias.	Consume 3 tazas diarias; para niños de 2 a 8 años, son 2 tazas.	Consume 5½ onzas diarias.

Encuentra el equilibrio entre alimentación y actividad física

- Asegúrate de estar dentro de tus necesidades diarias de calorías.
- Practica una actividad física al menos 30 minutos casi todos los días de la semana.
- Se necesitan alrededor de 60 minutos de actividad física al día para evitar el aumento de peso.
- Para una pérdida de peso constante, se necesitan al menos 60 – 90 minutos de actividad física diaria.
- Los niños y adolescentes deben estar activos físicamente 60 minutos al día, o casi todos los días.

Conoce los límites de grasa, azúcar y sal (sodio)

- Haz que la mayoría de tus fuentes de grasa sean pescado, nueces y aceites vegetales.
- Limita el consumo de grasas sólidas, como mantequilla, margarina en barra o manteca, lo mismo que los productos que las contengan.
- Lee las etiquetas de información nutricional para mantener bajo el consumo de sodio y grasas saturadas y trans.
- Escoge alimentos y bebidas bajos en azúcar agregada. Los azúcares agregados aportan calorías con muy pocos o ningún nutriente.

MiPirámide
PASOS HACIA UNA MEJOR SALUD

USDA

Departamento de Agricultura de Estados Unidos
Centro de Políticas sobre Nutrición y su Promoción
Abril de 2005
CNPP-15

Fuente: Departamento de Agricultura de Estados Unidos, y Servicios Humanos y de Salud

TABLA 2.9 OPCIONES ALIMENTICIAS BÁSICAS POR GRUPO DE ALIMENTOS

Cereales

Panes con	galletas de soda	pasta	panecillos
levadura de trigo	granola	polenta	tortillas
galletas	sémola de maíz	pretzels	waffles
pan (cualquier	cereales calientes	palomitas de maíz	arroz integral
tipo)	muffins	arroz	
bulgur	pancakes	galletas de arroz	
cereales fríos			
pan de maíz			

Verduras

espárragos	coliflor	puerros	espinaca
fríjol germinado	ensalada de	lechuga (cualquier	zapallo
remolacha	repollo	tipo)	batata
brócoli	col rizada	fríjol blanco	tomate
repollito de	maíz	champiñones	jugo de tomate
Bruselas	pepino cohombro	calalú	nabo
repollo	berenjena	cebolla	jugo de verduras
jugo de zana-	arveja fresca	pimentón (cual-	berros
horia	col rizada	quier tipo)	
zanahoria		papa	
		nabo sueco	

Frutas

jugo de manza-	melón	melón de pulpa	piña
na	cerezas	verde	jugo de piña
manzana	jugo de arándano	kiwi	ciruela
salsa de man-	salpicón	mango	frambuesas
zana	toronja	naranja	fresas
aguacate	jugo de uva	papaya	patilla o sandía
albaricoque	uvas	durazno	
banano		pera	
arándano			

Carnes/Productos animales

res (magra)	sustituto del huevo	langosta	pavo
pollo	pescado (cualquier	cerdo	venado
cangrejo	tipo)	vieiras	
huevos	jamón	camarones	
	cordero		

continúa

**TABLA 2.9   OPCIONES ALIMENTICIAS BÁSICAS POR GRUPO
DE ALIMENTOS** *(continuación)*

Legumbres/Vegetales

legumbres	maní	soya	tofu
secas	mantequilla de	arveja seca	
puré de gar-	maní	tempeh	
banzos	semillas		
lentejas			

Leche

queso	yogur congelado	leche	yogur
(cualquier tipo)	helado de leche	leche de soya	
requesón	descremada		

*Otros: grasas, aceites,
dulces y alcohol*

cerveza	queso	licor	crema agria
mantequilla	chocolate	margarina	vino
tortas	crema	aceite	
dulces	queso crema	aderezo para	
		ensalada	

Esta versión de la guía de alimentos básicos enfatiza la actividad física. El propósito es ayudar a detener la oleada de sobrepeso y obesidad en los Estados Unidos. MiPirámide recomienda que las personas con peso normal hagan ejercicio moderado al menos 30 minutos casi todos los días de la semana. Para las personas con sobrepeso o que están tratando de mantener una pérdida de peso, aconseja el ejercicio durante 90 minutos todos los días.

Si eres hábil navegando en Internet, probablemente te encantará este sitio. En la página www.mypyramid.gov*, haz clic en "Plan MiPirámide" e ingresa tus datos de edad, sexo y nivel de actividad física (el propósito de recoger esta información es calcular tu requerimiento de calorías). A partir de allí se generará un reporte que indica la cantidad de alimento que debes ingerir de cada grupo para consumir un número apropiado de calorías y tener una dieta adecuada. En ésta y otras pá-

* Esta información está disponible en español.

ginas, verás el botón "Rastreador MiPirámide"*. Haz clic en ese botón para iniciar una evaluación de tu consumo alimenticio y tu nivel de actividad física. El programa te pedirá que ingreses los tipos y cantidades de alimentos y bebidas que consumes en un día. El programa generará reportes en los que se especifican los nutrientes y la composición del grupo de alimentos de la dieta de ese día. La evaluación de actividad física analiza tu condición física y te da información relacionada con el gasto de energía, además de mensajes educativos. Tendrás un mejor indicio de la calidad de tu dieta y de tu nivel de actividad física si ingresas la información pertinente para varios días en lugar de uno solo.

Dietas vegetarianas y precauciones

"Si los vegetarianos comen vegetales, ¿qué comen los humanitarios?". Hay muchas variedades de dieta vegetariana. Algunas personas que no comen carne roja o que comen solamente pescado y alimentos vegetales se consideran vegetarianas. Sin embargo, en su sentido estricto, una dieta vegetariana solamente incluye alimentos vegetales.

Comer los alimentos básicos de la cadena alimenticia tiene varios beneficios. Los vegetarianos en general corren menor riesgo de sufrir enfermedades cardiacas, cáncer, obesidad y diabetes tipo 2 que las personas que comen carne. El hecho de que muchos vegetarianos no fumen o consuman alcohol excesivamente y que además practiquen actividad física de manera regular, seguramente contribuye al mantenimiento de su buena salud.

Las dietas vegetarianas generalmente contienen menos proteína que la dieta norteamericana promedio, aunque la cantidad sea adecuada. Los alimentos incluidos en las dietas vegetarianas tienden a ser ricos en nutrientes y proporcionan buenas cantidades de fibra, vitaminas, minerales, grasas no saturadas y deliciosos fitoquímicos, tales como el licopeno y los flavonoles.

También existen dietas vegetarianas no saludables, como es el caso de las dietas omnívoras. Las dietas vegetarianas pueden conte-

* Esta información sólo está disponible en inglés.

ner demasiados alimentos altos en calorías, como papas a la francesa, dulces, postres, hojaldres y quesos. Si son limitadas en su variedad, las dietas vegetarianas pueden llevar a consumos deficientes de vitaminas D y B_{12}, zinc, calcio, hierro, y los ácidos grasos omega-3 EPA y DHA. Los vegetarianos que no consumen productos fortificados con vitamina D y B_{12}, ni alimentos ricos en EPA y DHA, o que no se exponen suficientemente al sol, deben buscar fuentes de estos nutrientes en otros alimentos o suplementos.

La vitamina B_{12} sólo se encuentra en productos animales, microorganismos y alimentos fortificados. Alguna vez se pensó que los alimentos fermentados, como la espirulina, las algas marinas y el tempeh, proporcionaban B_{12}, pero estos alimentos sólo contienen una forma inactiva de la vitamina. La vitamina D se encuentra solamente en unos pocos alimentos y nos viene del sol. Los rayos solares ultravioleta convierten el colesterol localizado en la piel en vitamina D. Puedes obtener suficiente vitamina D del sol, exponiendo tu rostro, brazos y piernas a la luz directa del sol durante 15 minutos dos veces por semana. No hay sobredosis de vitamina D cuando la fuente de esta vitamina es el sol. El vidrio y los filtros solares bloquean los rayos ultravioleta y la producción de vitamina D de la piel. Otra observación: la intensidad de los rayos solares en los climas del norte durante el invierno es insuficiente para la producción de vitamina D. Las personas que viven en climas fríos deben tomar unas vacaciones tropicales durante el invierno para obtener su vitamina D.

Las dietas vegetarianas bien planeadas son adecuadas para mujeres embarazadas o lactantes y para bebés después de cumplir cuatro o seis meses. Antes de ese tiempo, los bebés deben alimentarse exclusivamente de leche materna o de leche de fórmula fortificada con hierro.

Cómo diagnosticar la veracidad de la información nutricional

Decidir si algo que has escuchado o leído sobre nutrición, suplementos alimenticios o remedios nutricionales es verdad, puede ser una tarea difícil. El mercado está repleto de productos que prometen aumentar el coeficiente intelectual de los niños, desarrollar los músculos, eliminar la grasa, curar infecciones y restaurar la pérdida de energía. A diferencia de los medicamentos, los productos que se venden como alimentos o suplementos alimenticios no tienen que ser probados para efectos de seguridad o eficacia antes de ser ofrecidos al público. Algunos productos, tales como ciertas hierbas y altas dosis de vitaminas y minerales, pueden no ser seguros. Aunque se supone que los promotores de productos nutricionales no deben hacer afirmaciones falsas, sucede todo el tiempo. Las promesas no comprobadas de los suplementos alimenticios, las ayudas para pérdida de peso y los remedios a base de hierbas generalmente son hechas por vendedores. Los supuestos beneficios de los productos nutricionales se promocionan en Internet, en folletos, propagandas, comerciales informativos, programas de televisión y de radio. Hay poco cumplimiento de las leyes existentes que prohíben la publicidad engañosa, y los suaves castigos que se aplican a este comportamiento indebido hacen que valga la pena correr el riesgo de hacer afirmaciones falsas. Debido al no cumplimiento de las leyes de protección, los consumidores deben tomar por sí solos la decisión de si lo que escuchan o leen sobre remedios nutricionales u otros productos es verdad.

   ¿Cómo puedes entonces decidir si algo que lees o escuchas sobre nutrición es verdad, o al menos, seguro? He aquí algunas sugerencias para separar los hechos nutricionales de la ficción.

Hay que sospechar de la motivación monetaria
Los productos fuertemente publicitados en los suplementos dominicales de prensa, tabloides, revistas de avión, radio o televisión que ofrecen productos nutricionales "nuevos", "revolucionarios", o "innovadores" son altamente sospechosos. Una inversión tan fuerte en publicidad significa *ánimo de lucro*. Si el producto funcionara, no tendría que venderse con tanto detalle en los avisos publicitarios. Los productos que ofrecen garantía de devolución de dinero también son sospechosos. Es poco común que un consumidor devuelva un producto aunque éste realmente no le funcione a nadie. No hay necesidad de ofrecer la devolución del dinero si un producto hace lo que promete hacer.

Los testimonios son un fuerte indicio de que el producto nutricional es engañoso

Los testimonios son inoficiosos, no importa cuántos títulos o películas acrediten a la persona que los hace. Los productos nutricionales son un negocio y las personas reciben dinero por ayudar a promocionarlos. La estrategia comúnmente usada de fotografías antes y después de personas que han usado productos específicos para la pérdida de peso emplean diferentes sujetos para esas fotos. Científicos muy reconocidos en áreas distintas a la nutrición han recibido donaciones enormes para investigación como pago por su apoyo a productos nutricionales específicos no comprobados.

Sólo la investigación objetiva puede determinar si un producto hace lo que promete

Puesto que los consumidores son consientes de esto, la publicidad generalmente anuncia que el producto ha sido ampliamente probado y que su eficacia ha sido demostrada mediante investigaciones. Si ese es el caso, escríbele o mándale un correo electrónico al fabricante y pídele una copia de los estudios publicados. Si se han realizado los estudios adecuados, te podrán enviar la información. Sin embargo, las probabilidades de que no vuelvas a tener noticia de los fabricantes que anunciaron los estudios científicos son altísimas.

Hay varias razones que explican por qué hay tantos productos nutricionales disponibles que no han sido probados. Los estudios que se necesitan para probar la eficacia y seguridad de los productos son costosos. Aún si estos se llevan a cabo y se encuentra que un producto es benéfico, la mayoría de los ingredientes de los productos nutricionales no pueden ser patentados. Ingredientes como vitaminas, minerales, hierbas, enzimas, aminoácidos y algas no son descubrimientos únicos y pueden ser utilizados por cualquier fabricante. No obstante, las combinaciones de ingredientes nutricionales sí pueden ser patentadas.

En términos generales, la situación actual les da a los fabricantes de productos nutricionales poco incentivo para invertir en investigación. La ineficacia de la mayoría de los productos que se ofrecen al público garantiza la continuidad en el mercado de nuevas fórmulas revolucionarias en el futuro. Después de todo, si esos remedios funcionaran, no habría necesidad de productos adicionales.

A veces las personas que representan medicamentos nutricionales son sinceras y están convencidas de los beneficios de los productos que venden a pesar de la falta de una prueba objetiva. El problema aquí es que no puedes saber si el producto es una buena o mala inversión. Debes considerar sospechoso todo lo que se dice sobre el producto hasta que te demuestren lo contrario. El estándar de prueba tienen que ser los resultados de un estudio científico. Insistir en una prueba de que el producto nutricional es seguro y que realmente hace lo que dice no es pedir demasiado.

Fuentes confiables de información nutricional

No toda la información nutricional que lees en periódicos, libros y revistas, que encuentras en Internet o que escuchas en la radio o la televisión carece de sentido. Muchas publicaciones periódicas y compañías de difusión por radio o televisión son cautelosas sobre la exactitud de la información que presentan. Esta precaución la ejercen investigando la confiabilidad de las fuentes de información nutricional, cubriendo más de una arista de los temas controversiales, y confirmando las conclusiones con expertos en nutrición antes de presentar la información. Algunas compañías de difusión en prensa, radio o televisión tienen la política de rechazar publicidad que dé información falsa o engañosa sobre nutrición.

Se puede encontrar información nutricional confiable en:

* Publicaciones gubernamentales sobre salud.
* Información producida por organizaciones profesionales reconocidas científicamente, como la *American Dietetic Association*, el *American Institute of Nutrition* y la *American Medical Association*; algunas asociaciones profesionales y voluntarias, como la *American Heart*

Association o la March of Dimes, también proporcionan información nutricional confiable.

- Artículos en revistas científicas dedicados primordialmente a la publicación de estudios de investigación.
- Sitios de Internet: WebMD.com, Medscape.com, Mayoclinic.org y Medlineplus.gov.
- Textos universitarios sobre nutrición.
- Libros escritos por expertos en nutrición, científicamente confiables.

Existen otras fuentes confiables de información nutricional pero es imposible darles aprobación indiscriminada debido a que la credibilidad de los datos presentados varía demasiado. Por ejemplo, algunos libros sobre nutrición que son famosos y han sido escritos por personas con una trayectoria impresionante en otros campos pueden contener mucha información incorrecta o ser imprecisos. No se puede saber simplemente por las credenciales del autor. Tampoco se puede confiar siempre en la información presentada en publicaciones "educativas" hechas por industrias de alimentos y suplementos alimenticios. Las compañías productoras de leche de fórmula para bebés; las organizaciones representantes de las industrias de la carne, el trigo, la papa y los productos lácteos; los fabricantes de suplementos vitamínicos y minerales; y toda una gama de otras organizaciones publican información nutricional para promover sus productos. Algunas de estas publicaciones se pueden encontrar en las salas de espera de los consultorios médicos. Algunas veces la información nutricional que se presenta es exacta, pero con frecuencia es sesgada a favor de los productos de la compañía. Ellos pueden incluir pautas publicitarias junto a los artículos sobre nutrición y los temas seleccionados para la cobertura de la publicación generalmente están relacionados sólo con el tipo de alimento, vitamina u otros productos vendidos por la compañía patrocinadora.

Mucha de la información de esta sección tiene que ver con las afirmaciones sobre nutrición y salud que están por fuera del marco de la veracidad. No obstante, hay que buscar la verdad; es en lo que puedes confiar.

Has llegado al final de tu "curso rápido" de nutrición e información básica para las recomendaciones que vienen. Si quieres aprender más sobre nutrición, inscríbete en un curso en una escuela cercana, saca un libro de la biblioteca, o toma un curso. El tema es un poco más complejo de lo que se podría pensar, y estamos aprendiendo más acerca de él cada día. Aprovecha ese conocimiento.

Cómo prepararte en términos nutricionales para los dos primeros meses de embarazo

"Somos harina del mismo costal, pero cocidos en distinto horno".

—Proverbio yídish

Hasta hace poco se creía que el momento más importante para prestarle atención a la nutrición era la segunda mitad del embarazo, cuando el feto está ganando la mayor parte del peso que tendrá al momento de nacer. Se asumía que la importancia de la nutrición durante el embarazo crecía junto con el feto. Este énfasis en la nutrición en las últimas etapas del embarazo tenía sentido, puesto que era el resultado de los estudios hasta entonces realizados. Además era práctico ya que la mayoría de las mujeres no recibían atención prenatal sino hasta bien entrado el embarazo. Esta situación está cambiando en la medida en que disponemos de los resultados de nuevos estudios y el interés por la preconcepción y el cuidado en las primeras etapas del embarazo crece entre los obstetras y mujeres gestantes. La nueva información está demostrando que la nutrición antes y durante los primeros meses de embarazo tiene más importancia de la que se había imaginado antes. Esta información representa un avance significativo ya que, si las mujeres la conocen, la pueden aplicar antes de comenzar su cuidado prenatal.

La preconcepción y la nutrición al comienzo del embarazo están llamando poderosamente la atención puesto que los resultados de investigaciones han mostrado los efectos de la nutrición sobre el tejido fetal, la formación de los órganos y la salud del bebé mucho después del parto. La pérdida de peso de la madre en el primer trimestre de embarazo, por ejemplo, puede programar los genes del feto para que conserven energía y sobrevivan a partir de un número de calorías inferior al óptimo. Más tarde en la vida, el niño o adulto puede continuar conservando calorías y ganar peso excesivo cuando se enfrente con un ambiente que le ofrece multitud de alimentos deliciosos. El bajo consumo de calcio durante el embarazo puede aumentar el riesgo de hipertensión en la edad adulta. Podríamos mencionar aquí muchos más ejemplos de los efectos de la nutrición al comienzo del embarazo y la programación fetal.

Puesto que la mayoría de los tejidos y órganos fetales se desarrollan durante los dos primeros meses de gestación, esperar hasta que el embarazo esté confirmado para hacer cambios en las prácticas alimenticias puede significar perder oportunidades. Para aprovechar completamente los beneficios de una buena nutrición, lo mejor es practicar una nutrición óptima desde antes de la concepción. De esa manera, cuando la concepción ocurra, estarás nutricionalmente preparada para los dos primeros meses del embarazo que son de importancia crítica.

Este capítulo te lleva a hacer un breve recorrido por la etapa inicial de desarrollo y crecimiento del feto y describe cómo cambia el cuerpo de una mujer para dar cabida al embarazo. Se describen las prácticas nutricionales durante la preconcepción y el inicio del embarazo que garantizan un desarrollo de crecimiento fetal óptimos y se dan algunas recomendaciones específicas.

Cómo anticipar los cambios durante los dos primeros meses de embarazo

Cada uno de nosotros empezó a vivir como una célula sencilla, pero esa fase de la vida duró un tiempo muy corto. Poco después de la concepción, la célula fertilizada se activó, dividiéndose y creando nuevas células. Para el momento del nacimiento, esa célula sencilla se había multiplicado en billones de células más. Cada célula no se convirtió en una réplica exacta de la otra. Aunque cada célula contiene el mismo material genético, las células agrupadas desarrollaron funciones especializadas en el camino. Esta especialización permitió que formaran tejidos y órganos específicos que desempeñarían funciones particulares. Nuestro cerebro tiene la capacidad de recordar y razonar, y nuestro cuerpo puede digerir alimentos, eliminar desperdicios, combatir infecciones, renovar tejido óseo y desempeñar miles de otras funciones gracias a que se desarrollaron grupos diferenciados de células.

No todos los tejidos y órganos se forman al mismo tiempo a partir de grupos de células especializadas. Hay un momento predeterminado para el desarrollo de cada tejido y cada órgano en nuestro cuerpo. Nuestra espina dorsal, a partir de la cual se desarrolla el cerebro, se forma en un lapso de veintitrés días después de la concepción. Para el día 30 después de la concepción, un conjunto de células ha formado un corazón que late débilmente. Para ese momento, las piernas, los brazos y los dedos de manos y pies también han tomado forma. En dos semanas más, otros grupos de células habrán formado los componentes básicos del hígado, páncreas, estómago, orejas, ojos y pulmones. Todos estos logros maravillosos ocurren antes de que el conjunto de células que llamamos *embrión* llegue a pesar 5 gramos, peso equivalente al de una moneda. Cada tejido y órgano debe desarrollarse a tiempo porque no hay una segunda oportunidad. El desarrollo se lleva a cabo en un cronograma muy estricto.

Para que los tejidos y órganos se formen y funcionen normalmente, todos los materiales necesarios para construirlos deben estar presentes en el momento programado para su desarrollo. Si no hay suficiente oxígeno, agua, glucosa, vitaminas o minerales disponibles en esos momentos, el desarrollo se ve afectado. La exposición inoportuna a medicamentos (ciertos anticonvulsivos, antibióticos y agentes quimioterapéuticos, por ejemplo), agentes tóxicos en el ambiente (DDT, PCB, mercurio, plomo), radiación, agentes infecciosos, alcohol o altos niveles de determinados nutrientes, también puede interrumpir el desarrollo normal del feto. La exposición a estas sustancias durante la formación de tejidos y órganos puede resultar en aborto, malformaciones, o desarrollo físico y mental inadecuado del feto. El período de tiempo cuando estas exposiciones son más peligrosas para el feto está entre el momento de la implantación (aproximadamente cinco días después de la concepción) y las ocho semanas siguientes.

Después de su formación, los tejidos y órganos crecen en tamaño y peso. Este patrón de crecimiento significa que los mayores aumentos de peso fetal ocurren más tarde en el embarazo. Una vez que los tejidos y órganos están formados, ya no son vulnerables a las sustancias causantes de malformaciones. Sin embargo, si estas situaciones riesgosas (exposición a sustancias tóxicas o una dieta pobre, por ejemplo) ocurren más adelante durante el embarazo, pueden traer como resultado órganos con formación normal pero de tamaño por debajo del esperado, que no funcionan de manera óptima.

Debido a que son tantos los factores que pueden afectar el desarrollo de tejidos y órganos, es muy difícil decidir cuál condición específica fue la responsable de un problema en un recién nacido. No todos los embarazos son afectados, o afectados de la misma manera, por la exposición a sustancias peligrosas. Además, se desconocen muchas de las causas del desarrollo fetal anormal. Tratar de identificar un factor único que haya interrumpido el desarrollo o crecimiento del feto generalmente es un ejercicio inútil para un embarazo en particular.

A pesar de la susceptibilidad del feto durante los primeros meses del embarazo, la mayoría de los bebés nacen saludables y normales. No obstante, las madres tratan de hacer lo mejor que esté a su alcance por sus bebés durante el embarazo. El objetivo común es un bebé por encima del promedio, un bebé que sea tan saludable y esté tan bien desarrollado como sea posible. El resultado no se puede garantizar pero se puede ayudar tratando de "mantener al bebé en el horno correcto".

Cambios en tu cuerpo

El cuerpo de una mujer sufre cambios importantes para darle cabida al embarazo. Estos cambios ocurren a lo largo de la gestación y comienzan en serio poco después de la concepción. Durante las primeras semanas de embarazo, se producen en abundancia las hormonas que sustentan la implantación del embrión, el crecimiento del útero y la placenta, y la expansión del sistema circulatorio de la madre. No obstante, esta avalancha de hormonas tiene efectos colaterales. Seguramente es responsable del crecimiento y sensibilidad de los senos, calambres y retorcijones, náusea, vómito, y cambios en el gusto y el olfato que experimentan muchas mujeres al comienzo del embarazo. Alrededor del tercer mes, cuando las náuseas y el vómito ya han cedido, se puede presentar cansancio debido a una expansión del volumen sanguíneo. Se necesitan varias semanas o poco más de un mes para que el cuerpo de la mujer se acostumbre al mayor volumen de sangre en su sistema circulatorio.

Durante la primera mitad del embarazo, mientras el feto todavía es muy pequeño, deben ocurrir una serie de cambios que hacen que la madre almacene grasas y nutrientes. Estas reservas se almacenan al comienzo de manera que estén disponibles para apoyar los aumentos importantes de peso del feto que ocurren posteriormente. Una consecuencia directa de la tendencia a aumentar las reservas de grasa tan pronto es que muchas mujeres sienten que están "gordas" en lugar de embarazadas. A medida que avanza el embarazo, la mayoría de las mujeres dejan de almacenar grasa y empiezan a consumir la que han guardado. Estos primeros aumentos de grasa en los muslos, los senos y el tronco han preocupado y consternado innecesariamente a millones de mujeres. Tenlo presente: las reservas adicionales de grasa son un fenómeno preprogramado de la primera mitad del embarazo.

Cambios en el apetito

La mayoría de las mujeres descubren que la frecuencia de su apetito y consumo de alimentos aumenta más pronto de lo que esperaban. Estamos biológicamente programadas para aumentar de peso antes de que lo necesitemos para apoyar los aumentos importantes de peso del feto. El aumento de peso puede ser mayor al esperado durante los primeros meses porque las mujeres tienden a comer para contrarrestar la náusea y el vómito. En otros casos, el consumo de alimentos aumenta simplemente porque sienten deseos de comer con más frecuencia.

El aumento de peso al comienzo del embarazo les preocupa a muchas mujeres. La idea de que "me voy a subir una tonelada si sigo comiendo así" probablemente le surge a cualquiera. Pero esa preocupación puede no venir al caso. Los cambios en el apetito y consumo de alimentos durante el embarazo normalmente vienen por oleadas y momentos. Puedes pasar de períodos memorables de hambre en una semana y perder tu interés en la comida a la siguiente. Debes esperar que tu nivel de hambre y ganas de comer varíe algo durante el embarazo; también cambiará tu ritmo de aumento de peso.

La mayoría de la información que aquí se presenta sobre el curso normal del apetito y consumo de alimentos aplica a embarazos que no se ven complicados por prácticas alimenticias restrictivas, desórdenes alimenticios o temores exagerados sobre el aumento de peso. Es difícil encontrar una mujer que no esté preocupada por aumentar demasiado de peso durante el embarazo. Sin embargo, un aumento razonable, que para la mayoría de las mujeres debería estar entre 25 y 35 libras, tiene una importancia crítica para el desarrollo y crecimiento del feto. En el capítulo 6 se da mucha más información sobre el tema de aumento de peso y embarazo.

Cambios en el gusto y el olfato

Pídele a una mujer que haya estado embarazada antes que recuerde cuáles alimentos le sabían muy bien o cuáles olores la hacían sentir rebotada y seguramente tendrás tema de conversación para rato. Aproximadamente dos de cada tres mujeres notan cambios en la manera como algunos alimentos saben y huelen, incluso antes de saber con certeza que están embarazadas. Estos cambios son tan característicos que podrían ser un buen indicio de que la concepción ha ocurrido. Los cambios en la manera como algunos alimentos saben o huelen se consideran normales durante el embarazo y son un elemento predictivo de riesgo de aborto por debajo del promedio.

Los tipos de alimentos que tienden a saber peor en el embarazo varían, pero muchas mujeres desarrollan un rechazo por el café, las gaseosas dietéticas y las bebidas que contienen alcohol. En general, se dice que los alimentos dulces y salados saben mejor, mientras que el olor de alimentos fritos produce náuseas y rebote en algunas mujeres. Evita los alimentos que te molesten y, en lo posible, haz que otra persona cocine si el olor de la comida te revuelve el estómago.

También se sabe que en el embarazo ocurren antojos por alimentos específicos. Algunos de estos pueden ser provechosos, como el antojo por leche o frutas. Otros, que pueden llevar al consumo de tierra, arcilla o almidón, pueden ser perjudiciales.

Los cambios extremos en las preferencias alimenticias durante el embarazo también ocurren pero no se consideran normales. Por ejemplo, si haces que tu esposo o compañero tenga que manejar 60 kilómetros a media noche para conseguirte una fruta específica, eso no es un antojo normal. El deseo de tomar agua, jugo de naranja, gaseosas u otras bebidas ricas en azúcar al despertar puede indicar un problema con los niveles de glucosa. Estos cambios deben ser revisados por tu médico.

No hay una voz interna que les dicte a las mujeres consumir alimentos que proporcionen los nutrientes necesarios durante el embarazo. Ellas deben decidir por sí solas Cómo alimentarse y qué evitar.

Cómo tratar la náusea y el vómito al comienzo del embarazo

Aproximadamente el 70 por ciento de las mujeres sienten náuseas durante los dos primeros meses de embarazo, y más o menos la mitad de ellas experimentan vómito. Estos síntomas generalmente comienzan unas cuatro semanas después de la concepción y se extienden hasta nueve o diez semanas. Para el 10 a 15 por ciento de las mujeres, las náuseas y el vómito perduran durante todo el embarazo. No se considera normal que estos síntomas sean demasiado severos o prolongados; en ese caso deben ser revisados por tu médico.

Las mujeres que experimentan náusea o náusea y vómito al comienzo del embarazo tienen 60 por ciento menos de probabilidades de sufrir un aborto que las mujeres que no sufren estas molestias. El incremento en los niveles hormonales que se considera el causante de la náusea y el vómito también puede ser el responsable de la reducción de riesgo de aborto.

Es preferible comer "entre" tus episodios de náusea y vómito que perder peso. En el capítulo 8 se presenta información adicional sobre estas molestias y cómo tratarlas.

Dieta durante la preconcepción y el comienzo del embarazo

Una dieta saludable que favorezca el embarazo se caracteriza por lo siguiente:

- Consumo de alimentos que corresponda al plan de la Guía Alimenticia MiPirámide.
- Comidas regulares (sin ayunos ni saltos de comidas).
- Consumo de por lo menos 400 mcg (0.4 mg) de ácido fólico por día.
- No consumir alcohol.
- No abusar de suplementos alimenticios.
- Disfrutar de los alimentos y los momentos en que se come.

Estos principios alimenticios aplican también a los dos primeros meses de embarazo, pero con una consideración especial adicional. Las mujeres deben comer lo suficiente para ganar alrededor de 2-4 libras durante los dos primeros meses de embarazo.

Cómo seguir la Guía Alimenticia MiPirámide

El pilar fundamental de una dieta saludable es la selección de una variedad de alimentos que en conjunto proporcionen el nivel de energía y nutrientes necesarios para la salud de la madre y el desarrollo y crecimiento del feto. Debido a que muchos de los componentes de alimentos que promueven la salud no están contenidos en los suplementos, las dietas saludables se basan en alimentos.

La mejor guía disponible para seleccionar una dieta que favorezca la salud en la preconcepción y al comienzo del embarazo es la Guía MiPirámide, publicada en 2005 (ver Figura 2.1, capítulo 2). Esta guía no es igual a las que probablemente conociste en el colegio. Esta revisión de los grupos básicos de alimentos es diferente porque enfatiza la escogencia de alimentos saludables con niveles de consumo de calorías particulares y no incluye tamaño de porciones. A las personas que requieren consumir 2.000 calorías por día, por ejemplo, se les sugiere consumir seis onzas de cereales, dos tazas y media de verduras, una taza y media de frutas, tres tazas de leche (o una cantidad equivalente en productos lácteos), y cinco onzas de carnes o de sustitutos de la carne diariamente. Los requerimientos calóricos de la mujer durante el embarazo varían demasiado para establecer un nivel estándar de consumo para todas. El nivel correcto de calorías es aquel que lleve a un ritmo adecuado de aumento de peso.

En los grupos de MiPirámide se favorecen ciertos tipos de alimentos por encima de otros. Para resaltar su importancia, en la Guía se recomienda el consumo semanal de tres tazas de verduras de color verde oscuro y dos tazas de verduras amarillas. Los productos integrales deberían constituir casi la mitad de la cantidad de cereales recomendada diariamente, y se sugieren las alternativas de carnes magras y productos lácteos bajos en grasa. La Guía MiPirámide le asigna el 10-15 por ciento de las necesidades de calorías a los postres, dulces, mantequilla, aceites y alimentos ricos en grasa y azúcar.

Las recomendaciones de practicar una actividad física son parte integral de esta nueva guía. Además de tener una buena dieta, se recomienda a la gente saludable (y a las mujeres embarazadas) hacer ejercicio de intensidad moderada (trotar, nadar, hacer ejercicio aeróbico), durante al menos 30 minutos diarios.

Evaluación de tu dieta

Es posible que algunas de las lectoras de esta información ya estén consumiendo la dieta recomendada pero no lo sepan. Tal vez otras estén preocupadas por lo que comen y quieran identificar específicamente los cambios que deberían hacer. El siguiente ejercicio indica con certeza si se está consumiendo una dieta saludable; de no ser así, señala las modificaciones necesarias.

Hay dos maneras de hacer el análisis de tu consumo alimenticio. Una es con lápiz y papel y la otra, con la página web MyPyramid.gov. Para hacer cualquiera de estas evaluaciones, primero piensa en tu dieta habitual, lo que habitualmente comes y bebes. Si tu dieta varía mucho de un día para otro, escoge varios días representativos para este ejercicio, utilizando el formato que aparece en la Figura 3.1. Escribe todo lo que comes y bebes, empezando con lo que consumiste al despertar y continuando a lo largo del día hasta la hora de acostarte. Mide o calcula con cuidado y registra la cantidad de cada alimento y bebida consumida.

Para analizar tu dieta con el método de papel y lápiz, utiliza la Figura 3.2 para comparar tu consumo usual con el recomendado por la Guía Alimenticia MiPirámide. Las recomendaciones que aparecen en esa figura están basadas en un consumo de 2.400 calorías diarias. Las recomendaciones en cuanto a la cantidad de alimento en cada grupo serán algo mayores o menores dependiendo de tu necesidad de calorías.

Primero, revisa la lista de alimentos y bebidas que consumiste y coloca cada uno de ellos en el grupo de alimentos correspondiente. Alimentos tales como salsa de carne, mayonesa, margarina, papas fritas, tocineta, postres y dulces van en el grupo "otros". Pero alimentos como pretzels y palomitas de maíz deben ir en el grupo de los cereales. Si consumes platos mixtos, como pizza, estofado o burritos, debes

FIGURA 3.1 FORMATO DE REGISTRO DE DIETA USUAL PARA UNO O DOS DÍAS DE CONSUMO ALIMENTICIO

	DÍA 1		DÍA 2	
Momento del día	**Lo que comí o bebí**	**Cantidad**	**Lo que comí o bebí**	**Cantidad**
Ejemplo:				
Medio día	Ensalada del chef:		Lasaña vege-tariana: pasta	1 taza
	lechuga romana	2 tazas	salsa de tomate	½ taza
	pavo	1 onza	calabacín	¼ taza
	jamón	1 onza	queso	1 onza
	queso	1 onza	leche	1 taza
	té helado	1½ tazas		
Mañana				
Media mañana				
Medio día				
Tarde				
Noche				
Tarde en la noche				

FIGURA 3.2　EVALUACIÓN DE TU DIETA ANTES DE LA CONCEPCIÓN Y AL COMIENZO DEL EMBARAZO*

Grupo Guía de MiPirámide	Alimentos y bebidas consumidos	Cantidad en onzas o tazas**	Recomendaciones de MiPirámide	Diferencia frente a la cantidad recomendada
1. Cereales			8 onzas	
2. Verduras			3 tazas	
3. Frutas			2 tazas	
4. Leche, yogur y queso			3 tazas	
5. Carne, pollo, pescado, legumbres secas, huevos y nueces			6½ onzas	
6. Grasa, aceites y dulces			Grasas y aceites, 7 cucharadas Dulces, 1 porción estándar	

* Las cantidades recomendadas por MiPirámide por grupo de alimentos están basadas en un patrón de consumo de 2.400 calorías.

** Ver la Tabla 3.1 para hacer la conversión de otras medidas a sus equivalentes en onzas y tazas.

descomponer el plato en sus ingredientes principales y clasificar los ingredientes por grupo. Utilizando la Tabla 3.1, convierte las cantidades de alimentos o bebidas que consumiste en cada grupo a sus equivalentes en onzas o tazas. Suma las onzas o tazas de alimentos en cada grupo y compara los resultados con la cantidad recomendada para cada uno y ... ¡*Voilà*! Has evaluado tu dieta.

Sigue estos pasos para analizar tu dieta por Internet:

1. Ve a la página MyPyramid.gov.
2. En la esquina superior izquierda de la pantalla, selecciona "Rastreador MiPirámide".
3. Accede al sistema de análisis de dieta, haciendo clic en la opción *"Check It Out"* que está en la parte inferior de la página. Si piensas utilizar el sistema con frecuencia, regístrate como nuevo usuario. El Departamento de Agricultura de Estados Unidos (USDA) no comparte los registros de las personas que se registran en el sistema.
4. Completa la información requerida sobre edad, sexo, etcétera. Luego haz clic en *"Proceed to Food Intake"*.
5. Utilizando la información de tu hoja de registro de consumo alimenticio, ingresa cada alimento, la cantidad y el número de veces por día que consumiste dicha cantidad.
6. Después de ingresar el último alimento, haz clic en el botón *"Save and Analyze"* que está en la parte inferior de la pantalla.
7. En la pantalla donde dice *"Analyze Your Food Intake"*, selecciona *"Nutrient Intake"*. Imprime este reporte y utilízalo para comparar tus resultados con los niveles recomendados de consumo nutricional de la Tabla 3.2.
8. En la parte inferior de la pantalla *Nutrient Intake Analysis*, haz clic en *"MyPyramid Recommendations"*. A partir de ahí, obtendrás un reporte que compara tu consumo con las recomendaciones de MiPirámide por grupo de alimento.

TABLA 3.1   EQUIVALENCIAS DE MEDIDAS DE LOS ALIMENTOS DE MIPIRÁMIDE

Alimento	Equivalentes
Cereales	
Pan con levadura de trigo	1 minibagel = 1 onza
	1 bagel grande = 4 onzas
Galleta	1 de 5 cm de diámetro = 1 onza
	1 de 8 cm de diámetro = 2 onzas
Pan	1 tajada = 1 onza
Cereal cocido	½ taza = 1 onza
Galletas de soda	5 de trigo integral = 1 onza
	7 cuadradas / redondas = 1 onza
Muffin inglés	½ muffin = 1 onza
Muffin	1 de 6 cm de diámetro = 1 onza
	1 de 9 cm de diámetro = 3 onzas
Pancake	1 de 12 cm de diámetro = 1 onza
	2 de 8 cm de diámetro = 1 onza
Palomitas de maíz	3 tazas = 1 onza
Cereal	1 taza de hojuelas = 1 onza
Arroz	1¼ tazas llenas = 1 onza
	½ taza = 1 onza
Pasta	½ taza = 1 onza
Tortilla	1 de 15 cm de diámetro = 1 onza
Verduras	
Zanahorias	2 medianas = 1 taza
	12 mini (baby) = 1 taza
Apio	1 tallo grande = 1 taza
Mazorca (maíz en tusa)	1 de 15 cm de larga = ½ taza
	1 de 23 cm de larga = 1 taza
Pimentón verde / rojo	1 grande = 1 taza
Papa	1 mediana (8 cm de diámetro) = 1 taza
Lechuga fresca (hojas)	2 tazas = 1 taza
Tomate	1 grande = 1 taza
Leche y productos lácteos	
Leche	1 taza = 1 taza
Yogur	1 taza = 1 taza
Queso	1½ onzas (tajado) = 1 taza
	1/3 taza (rallado) = 1 taza
	2 onzas (procesado) = 1 taza
Queso ricota	½ taza = 1 taza

continúa

TABLA 3.1   EQUIVALENCIAS DE MEDIDAS DE LOS ALIMENTOS ... *(continuación)*

Alimento	Equivalentes
Requesón	2 tazas = 1 taza
Pudín	1 taza = 1 taza
Yogur congelado	1 taza = 1 taza
Helado	1½ taza = 1 taza

Frutas

Manzana	pequeña = 1 taza
	½ grande = 1 taza
Banano	1 grande = 1 taza
Melón	1/8 = 1 taza
Uvas	32 uvas = 1 taza
Toronja	1 mediana (10 cm de diámetro) = 1 taza
Naranja	1 grande (8 cm de diámetro) = 1 taza
Durazno	1 grande (7 cm de diámetro) = 1 taza
Pera	1 mediana (¼ de libra) = 1 taza
Ciruelas	3 medianas = 1 taza
Fresas	8 grandes = 1 taza
Patilla o sandía	1 trozo de 2,5 cm de grosor = 1 taza
Frutas deshidratadas	½ taza = 1 taza
Jugo de fruta	1 taza = 1 taza

Carnes y legumbres

Filete de res	1 de 9 cm X 6 cm X 1 cm = 3 onzas
Hamburguesa	1 pequeña = 2 onzas
	1 mediana = 4 onzas
	1 grande = 6 onzas
Pollo	½ pechuga = 3 onzas
Chuleta de cerdo	1 muslo = 2 onzas
Pescado	1 pernil = 3½ onzas
	1 mediana = 3 onzas
	1 lata pequeña de atún = 3½ onzas
Mariscos	1 pescado pequeño = 3 onzas
	1 filete de salmón = 5 onzas
	5 camarones grandes = 1 onza
	10 almejas medianas = 3 onzas
Huevos	½ taza de cangrejo = 2 onzas
	½ taza de langosta = 2½ onzas
	1 pequeño = 1 onza
	1 grande = 2 onzas

TABLA 3.2   NIVELES RECOMENDADOS Y EXCESIVOS DE CONSUMO DE NUTRIENTES: PRECONCEPCIÓN Y DOS PRIMEROS MESES DE EMBARAZO

Nutriente	Consumo diario recomendado	Consumo diario máximo no perjudicial
Vitamina A	770 mcg (2564 IU)	3000 mcg (10000 IU)
Vitamina D	5 mcg (200 IU)	50 mcg (2000 IU)
Vitamina E	15 mg (22 IU)	1000 mg (1490 IU)*
Vitamina K	90 mcg	—
Vitamina C	85 mg	2000 mg
Tiamina	1.4 mg	—
Riboflavina	1.4 mg	—
Niacina	18 mg	35 mg*
Vitamina B$_6$	1.9 mg	100 mg
Folato	600 mcg	1000 mcg*
Vitamina B$_{12}$	2.6 mcg	—
Calcio	1000 mg	2500 mg
Fósforo	700 mg	3500 mg
Magnesio	350 mg	350 mg*
Hierro	27 mg	45 mg
Zinc	11 mg	40 mg
Yodo	220 mcg	1100 mcg
Selenio	60 mcg	400 mcg
EPA + DHA	300 mg	—**

*   Aplica a niveles de consumo a partir de suplementos y alimentos fortificados. Para el caso del magnesio, aplica a niveles de consumo a partir de agentes farmacológicos.

** La FDA recomienda que los consumos de EPA y DHA en adultos a partir de suplementos no excedan los 2.000 mg (2 g) por día.

Fuente: Datos del *Food and Nutrition Board*, Instituto de Medicina, Academia Nacional de Ciencias, 1997-2002; *Obstetrical Gynecological Survey* 56: S1 – S13, 2001.

Si tus resultados muestran que estás comiendo de acuerdo con la Guía Alimenticia MiPirámide, ¡eso es grandioso! Estás en un grupo selecto: menos del 10 por ciento de los adultos norteamericanos están en esta categoría superior. Espero que todos aquellos que hayan evaluado su consumo nutricional con la ayuda de MyPyramid.gov tengan una sonrisa en el rostro.

Si tu dieta está desbalanceada, identifica alimentos específicos que te gusten dentro de cada grupo alimenticio que haya quedado incompleto. Luego decide cuándo podrías consumir esos alimentos y qué comidas deberías reemplazar. Digamos, por ejemplo, que te hace falta una taza del grupo de leche, yogur y queso. También asumamos que te gusta el yogur espeso y la leche descremada, y que disfrutarías comerlos con más frecuencia. Podrías decidir reemplazar una galleta por una taza de yogur espeso o sustituir un vaso de gaseosa por uno de leche descremada.

Si quieres ver una lista de alimentos que pertenecen a cada grupo básico para obtener ideas con el propósito de hacer cambios específicos, consulta la Tabla 2.9 del capítulo 2. El Departamento de Agricultura de Estados Unidos ha diseñado una serie de menús para un patrón alimenticio de 2000 calorías que además muestra un análisis nutricional de dichos menús (En mypyramid.gov entra a "Sugerencias y recursos" y luego a "Menú modelo de 2000 calorías"). Esta información se puede utilizar para generar ideas sobre la planeación de las comidas para ti y tu familia. En el capítulo 11 también puedes encontrar recetas de comida saludable. Cuanto más específico sea el plan que elabores, y cuanto más cómoda te sientas con él, mayor será la probabilidad de que hagas efectivos los cambios en tu dieta y los mantengas.

Consumo de gaseosas dietéticas y café

Las bebidas endulzadas con NutraSweet o Equal (aspartame) y Splenda (sucralosa) parecen no generar ningún riesgo durante el embarazo. Sin embargo, las gaseosas dietéticas contribuyen muy poco a una dieta saludable.

Tal vez quieras limitar el consumo de café durante el embarazo debido a la asociación entre el consumo de más de dos tazas de café regular por día y el aborto en algunas mujeres. Ni el consumo de café ni de cafeína durante el embarazo parecen estar relacionados con malformaciones o problemas de desarrollo del feto.

Consumo suficiente de ácido fólico

Además de consumir una dieta saludable, todas las mujeres que puedan quedar en embarazo deberían asegurarse de consumir al menos 400 mcg (0.4 mg) de folato en forma de ácido fólico desde antes de la concepción y a lo largo del embarazo. Una deficiencia de folato durante el primer mes de embarazo causa alrededor del 70 por ciento de todos los casos de espina dorsal bífida y otros defectos del tubo neural. La deficiencia de folato a partir de la concepción también incrementa el riesgo de parto prematuro, bajo peso del bebé al nacer y defectos cardiacos del feto. Las mujeres que hayan tenido bebés con defectos del tubo neural u otro tipo de malformaciones, abortos anteriores, o que hayan dado a luz bebés prematuros o de bajo peso, deben tomar un suplemento que contenga una alta cantidad de ácido fólico. Los médicos pueden prescribir hasta 4 mg de ácido fólico en el caso de mujeres con estos antecedentes.

Las dosis de ácido fólico superiores a 1 mg requieren prescripción médica. Esto se debe a que las altas dosis pueden ocultar los síntomas de una deficiencia de vitamina B_{12}. Aunque es muy raro encontrar este tipo de deficiencia, muchos expertos recomiendan tomar vitamina B_{12} cuando se consumen altas dosis de suplemento de ácido fólico.

Se puede obtener suficiente ácido fólico consumiendo un suplemento de 400 mcg o cereales fortificados con ácido fólico. La mayoría de los cereales que se consumen fríos al desayuno vienen fortificados con 100 mcg de ácido fólico por porción, y varios cereales (ver los porcentajes de ácido fólico al respaldo de las cajas) contienen 400 mcg de ácido fólico por porción. Revisa la etiqueta de información nutricional en el empaque del cereal para confirmar que el que escojas esté fortificado. El pan, el arroz, las galletas de soda, la pasta, la sémola de maíz, las tortillas y otros productos refinados de cereal que se venden en Estados Unidos proporcionan alrededor de 40 mcg de ácido fólico agregado por porción. El consumo diario de un cereal fortificado junto con la variedad de alimentos recomendados en la Guía

Alimenticia MiPirámide proporcionan la cantidad necesaria de folato para la mayoría de las mujeres. En el Anexo A encontrarás una lista de alimentos que contienen folato.

Comer regularmente

Si tu patrón usual de alimentación incluye saltar comidas o calmar el hambre hasta que haya un momento oportuno para comer, éste puede ser un buen momento para cambiar ese hábito. Pasar ocho horas del día sin comer puede producir un ambiente menos que óptimo para las primeras etapas del embarazo. Comer las tres comidas, y si es necesario, varios bocados durante el día ayudan a mantener un suministro óptimo de glucosa para el feto. La glucosa es la fuente de energía preferida para el desarrollo y el crecimiento del feto. Cuando ayunamos, los niveles de glucosa en la sangre se bajan y el feto tiene que depender más fuertemente de las grasas como fuente de energía. Comer las comidas regulares también es importante más adelante en el embarazo, cuando el feto gana la mayor parte de su peso. El feto necesita cantidades cada vez mayores de glucosa a medida que crece, y eso reduce la cantidad de tiempo que los niveles de glucosa y la sangre de la madre se demoran en descender.

Es más fácil recomendar un cambio en tu patrón de alimentación que hacerlo. Algunas mujeres no sienten hambre con frecuencia o ni siquiera pueden pensar en comer por la mañana. La clave para el cambio en estas circunstancias es hacer lo que te parezca aceptable. Eso puede significar llevar contigo comidas ligeras, como galletas de soda y mantequilla de maní, fruta o granola, y comer "en las horas". Puede significar tomar un vaso de leche o comer una tostada integral por la mañana, en lugar de omitir del todo el desayuno. Como lo resalté anteriormente, los cambios que son aceptables tienen más posibilidades de mantenerse.

Abstenerse de consumir alcohol

El fuerte consumo de alcohol (cuatro o más tragos por día) al comienzo del embarazo está asociado con abortos y nacimiento de bebés pequeños, con malformaciones o problemas mentales. Se dice que los niños o los bebés afectados de esta manera tienen el *síndrome de alcohol fetal, o SAF.* El consumo real de cantidades más pequeñas de alcohol (un trago o más por día) al comienzo del embarazo puede afectar el desarrollo mental y el comportamiento del feto. El consumo excesivo de alcohol más tarde en el embarazo parece afectar el crecimiento y el desarrollo mental, pero no causa malformaciones. Los efectos adversos de un trago ocasional en la segunda mitad del embarazo parecen ser raros. Debido a que no se ha demostrado que ninguna cantidad de alcohol sea absolutamente segura durante el embarazo, y para excluir la posibilidad de daños aún pequeños para el desarrollo y crecimiento fetal, se recomienda que las mujeres no tomen alcohol si pueden quedar o ya están embarazadas.

Suplementos vitamínicos y minerales y otras consideraciones

¿Deberías tomar un suplemento vitamínico y mineral antes y al comienzo del embarazo? Una serie de estudios han demostrado la reducción del riesgo de embarazo y malformaciones en los bebés nacidos de mujeres que toman un suplemento multivitamínico y mineral antes y al comienzo del embarazo. Por otro lado, algunos estudios indican que las grandes cantidades de vitamina A (más de 10.000* UI por día durante meses en un momento específico) y de vitamina D (consumos de más de 2000 UI regularmente) pueden hacerle daño al feto. En una campaña de prevención realizada en 1993, el *American College of Obste-*

---

*   N. de T.: En farmacología, una Unidad Internacional (UI, abreviada alternativamente IU por su sigla en inglés (International Unit) es una unidad de medida de la cantidad de una sustancia, basada en su actividad biológica mediada (o sus efectos). La definición precisa de 1 UI difiere de una sustancia a otra y se establece por acuerdo internacional.

trics and Gynecology advirtió que los suplementos de vitamina A no deberían utilizarse rutinariamente durante el embarazo y que, de hacerlo, no se deberían consumir más de 5.000 UI por día. Cabe mencionar aquí que no se ha encontrado que los suplementos de betacaroteno, un precursor de la vitamina A, causen malformaciones.

Se recomienda no comer hígado más de una vez por semana al comienzo del embarazo debido a su alto contenido de vitamina A. También se advierte no usar los medicamentos *Retin A* o *Accutane* para el acné y las arrugas, puesto que estos productos son derivados de la vitamina A; su uso al comienzo del embarazo puede causar abortos y malformaciones. Es mejor suspender el uso de estos medicamentos varios meses antes de la concepción.

Aunque es una práctica clínica común, el uso de suplementos multivitamínicos y minerales no está recomendado oficialmente para todas las mujeres embarazadas. Las mujeres que pueden quedar en embarazo o que ya estén embarazadas no deben usar altos niveles de suplementos vitamínicos y minerales. A menos que se prescriba por problemas de salud, el consumo diario de vitaminas y minerales debería aproximarse a los niveles recomendados y no exceder los niveles máximos de seguridad establecidos por el Instituto de Medicina (ver Tabla 3.2).

La práctica de muchas décadas de administrar rutinariamente a todas las mujeres embarazadas 30 mg o más de hierro al día está cambiando aunque muy lentamente. No todas las mujeres comienzan su embarazo con bajos niveles de hierro almacenado o con necesidad de un suplemento ferroso. Existen pruebas sencillas y de bajo costo para medir el nivel de hierro que pueden indicar quién lo necesita y quién no. Dichas pruebas también indican los niveles de hierro que se deben suministrar. Este enfoque, utilizado en muchos países europeos, evita a las mujeres los fastidiosos efectos secundarios que se producen cuando se da demasiado hierro a personas que no lo necesitan. Por otro lado, hay mujeres que sí necesitan hierro y deben obtenerlo. Un bajo nivel de hierro durante el embarazo aumenta las probabilidades de parto prematuro, depresión posparto y deficiencia de hierro en el bebé. A las mujeres cuyo nivel de hierro se desconoce o se asume es bajo, automáticamente se les da un suplemento ferroso de 27-30 mg por día o más.

Se puede suministrar un suplemento de vitaminas y minerales específico a una mujer embarazada, corriendo el riesgo de que desarrolle hipertensión, tenga parto prematuro u otras condiciones durante el embarazo. Este tema es tratado en el capítulo 5, junto con el tópico de los suplementos herbales.

Por último, las mujeres que entran al embarazo con diabetes, hipertensión, enfermedades infecciosas, PKU (*phenylketonuria*, un desorden hereditario), que han tenido bebés con malformaciones congénitas o que tienen antecedentes de malformaciones en su familia, muy seguramente se beneficiarán de los cuidados durante la preconcepción y al comienzo del embarazo. Comenzar un embarazo con la mejor salud posible puede marcar una diferencia dramática en el bienestar tanto de la madre como del feto.

La dieta correcta para el embarazo

"Soy sólo uno,
pero aún soy uno.
No puedo hacerlo todo,
pero aún puedo hacer algo;
y puesto que no puedo hacerlo todo
no me negaré a hacer ese algo que puedo hacer".

—Edward Everett Hale, clérigo y escritor

Este libro divide el embarazo en los primeros meses (cubiertos en el capítulo 3) y los meses restantes. Este capítulo trata aspectos importantes de la nutrición durante los últimos siete meses del embarazo, cuando las necesidades que el feto tiene de energía y nutrientes son motivadas básicamente por el crecimiento más que por el desarrollo de tejidos y órganos. Para el tercer mes, la mayoría de los tejidos y órganos fetales ya se han formado y están en proceso de crecimiento en tamaño y complejidad. Durante estos meses se necesita una dieta saludable para apoyar el crecimiento de las células, la maduración de las funciones de los órganos, el desarrollo del sistema nervioso central y la acumulación de energía fetal y de reservas nutricionales. Durante estos siete meses, el peso fetal aumenta de una onza a unas ocho libras.

Otros componentes de una buena nutrición para el embarazo no encajan bajo el rótulo "dieta". Los temas de aumento de peso, suplementos vitamínicos y minerales, ejercicio, ayudas nutricionales para problemas comunes del embarazo, y nutrición para embarazos múltiples será discutido en los capítulos posteriores.

Los cambios más importantes ocurren en el cuerpo de la mujer durante estos meses de gestación. Son tan dramáticos que se podrían considerar altamente anormales de no ser por el embarazo. La cantidad de sangre en tu sistema circulatorio, tu ritmo cardiaco, tu apetito, tu consumo de alimentos y tu peso aumentan considerablemente. Debido al mayor suministro de sangre, puedes notar que tus manos y pies se hinchan un poco especialmente al final del embarazo. La mayoría de las mujeres descubren que su vejiga no retiene tanto líquido como antes. La náusea y el vómito del comienzo del embarazo pueden desaparecer repentinamente en estos meses; sin embargo, estas molestias son reemplazadas por el estreñimiento y la acidez. Además, pueden ocurrir otra serie de cambios molestos pero normales. La gente que asume que el "brillo saludable" del embarazo opaca el nirvana interno obviamente no ha estado embarazada.

Este capítulo presenta los ingredientes de una dieta para tener un bebé saludable y resalta los nutrientes que son particularmente importantes para el embarazo. Se te pedirá que evalúes tu dieta y que mejores tu consumo alimenticio si es necesario hacer cambios. Se incluyen secciones sobre la seguridad de los alimentos y "la alimentación del feto". La última parte del capítulo está dedicada a responder las preguntas más frecuentes que las mujeres embarazadas hacen sobre nutrición. Si tienes inquietudes o dudas específicas, o si quieres descubrir algunos datos interesantes sobre el embarazo, debes leer esta sección.

¿Qué es una dieta saludable para el embarazo?

La necesidad que una mujer tiene de calorías, proteínas, vitaminas, minerales y agua aumenta durante el embarazo. Con excepción del hierro, una selección cuidadosa de alimentos puede y debe proporcionar las calorías y nutrientes adicionales necesarios. Una mujer saludable no necesita suplementos alimenticios ni comida especial para garantizar una nutrición adecuada. Todo lo que necesita es una dieta que incluya:

- Suficientes calorías para aumentar de peso a un ritmo adecuado.
- La variedad de alimentos recomendada en la Guía Alimenticia MiPirámide.
- El consumo adecuado de todos los nutrientes esenciales.
- Líquido suficiente (11 ó 12 vasos al día).
- Una dosis adecuada de EPA y DHA (300 mg diarios).
- Suficiente fibra (28 g diarios).
- Ninguna restricción de sal.
- Cero consumo de alcohol.
- Alimentos que puedas disfrutar y consumir en comidas agradables.

No hay dos mujeres que tengan exactamente la misma necesidad de calorías. Eso se debe a que la necesidad calórica durante el embarazo depende del nivel de actividad física individual, el peso actual, la masa muscular y de grasa, el ritmo metabólico y la etapa del embarazo. Esto hace imposible establecer con certeza el número específico de calorías adicionales necesarias para una mujer en particular. La mejor manera de juzgar si el consumo calórico es adecuado es evaluando el aumento de peso.

Cuando consumes más calorías de las que gastas, subes de peso. Cuando tu consumo calórico es inferior a la necesidad de calorías que tiene tu cuerpo, pierdes peso. En el mejor de los mundos posibles, una mujer embarazada debe consumir suficientes calorías para aumentar de peso de manera consistente y gradual. El número correcto de kilos adicionales depende del peso de la mujer antes del embarazo y de si está esperando más de un bebé (en el capítulo 6 se presenta información específica sobre el aumento de peso).

Si estás consumiendo una dieta saludable y estás aumentando de peso a la velocidad recomendada, realmente no tienes que preocuparte por las calorías. Si tu peso fluctúa un poco de un día para otro, tampoco debes preocuparte por eso. El apetito y los niveles de consumo de alimentos durante el embarazo van y vienen como la marea, sólo que no tan regularmente. Si la mujer come cuando siente hambre y deja de hacerlo cuando se siente llena, generalmente se da un buen ritmo de aumento de peso. Puesto que este método no funciona para todas las mujeres, puede ser necesario monitorear tu aumento de peso para determinar si estás obteniendo una cantidad adecuada de calorías.

Reconsideración de tu dieta durante el embarazo: ¿estás comiendo saludablemente?

Hay muchos aspectos diferentes que son importantes para una dieta saludable durante el embarazo, con el fin de garantizar una evaluación sistemática en lugar de un chequeo rápido y subjetivo. Una evaluación sistemática te permitirá identificar si estás apuntando en la dirección correcta o si necesitas hacer cambios específicos en tu dieta. Si leíste el capítulo 3, ya estás familiarizada con los métodos de evaluación utilizados en este libro. Haz el siguiente ejercicio, aún si ya evaluaste tu dieta antes. El consumo alimenticio tiende a cambiar a medida que avanza el embarazo.

Para llevar a cabo esta evaluación, sigue las instrucciones que se te dan en el capítulo 3 para registrar, evaluar y modificar (si es necesario) tu consumo alimenticio. Más adelante en este capítulo encontrarás pautas para mejorar el consumo de nutrientes claves para el embarazo. Aquí encuentras copias en blanco de los formatos para registrar y analizar tu consumo alimenticio (ver Figuras 4.1 y 4.2). Luego completa una rápida evaluación de tu consumo de EPA y DHA, los importantes ácidos grasos omega-3 que no están incluidos en los métodos de evaluación estándar.

**FIGURA 4.1   FORMATO DE REGISTRO DE DIETA USUAL
PARA UNO O DOS DÍAS DE CONSUMO ALIMENTICIO**

	DÍA 1		DÍA 2	
Momento del día	**Lo que comí o bebí**	**Cantidad**	**Lo que comí o bebí**	**Cantidad**
Ejemplo:				
Medio día	Ensalada del chef:		Lasaña vege-tariana: pasta	1 taza
	lechuga romana	2 tazas	salsa de tomate	½ taza
	pavo	1 onza	calabacín	¼ taza
	jamón	1 onza	queso	1 onza
	queso	1 onza	leche	1 taza
	té helado	1½ tazas		
Mañana				
Media mañana				
Medio día				
Tarde				
Noche				
Tarde en la noche				

FIGURA 4.2   EVALUACIÓN DE TU DIETA DURANTE EL EMBARAZO*

Grupo Guía de MiPirámide	Alimentos y bebidas consumidos	Cantidad en onzas o tazas**	Recomendaciones de MiPirámide	Diferencia frente a la cantidad recomendada
1. Cereales			8 onzas	
2. Verduras			3 tazas	
3. Frutas			2 tazas	
4. Leche			3 tazas	
5. Carne y legumbres			6½ onzas	
6. Aceites			7 cucharadas	
7. Otros			1 porción regular	

* Las cantidades recomendadas por MiPirámide por grupo de alimentos están basadas en un patrón de consumo de 2.400 calorías.

** Ver la Tabla 3.1 para hacer la conversión de otras medidas a sus equivalentes en onzas y tazas.

Líquidos suficientes

La mayoría de las mujeres necesitan entre 11 y 12 vasos de líquido diarios durante el embarazo. Esta cantidad de líquido generalmente se obtiene de bebidas y alimentos que son parte de una dieta regular. Las mujeres tienden a consumir tanto líquido como necesitan porque el cuerpo tiene mecanismos internos que le indican "tengo sed" cuando el cuerpo se está quedando corto de agua. Sin embargo, esos mecanismos internos pueden no hacer que se sienta sed cuando la necesidad de agua es grande. Las mujeres embarazadas que están expuestas a climas calientes y húmedos pueden llegar a no consumir suficiente líquido si dependen de las señales internas que le dicen "tengo sed". Consumir suficientes líquidos también es una preocupación para las mujeres que experimentan vómito duran el embarazo. En estas situaciones, es importante que las mujeres consuman regularmente líquidos como agua o jugos de fruta diluidos. Esto ayudará a mantener su nivel de energía alto y a reducir las posibilidades de deshidratación.

Consumo de suficientes alimentos ricos en fibra

El estreñimiento es un problema común en el embarazo que casi siempre se puede prevenir con dietas altas en fibra. Los alimentos ricos en fibra generalmente son una buena fuente de una variedad de nutrientes, así que es bueno comerlos aún cuando el estreñimiento no sea un problema.

¿Cuánta fibra es suficiente para evitar el estreñimiento? Para una mujer embarazada, 28 g al día. ¿De dónde se obtiene la fibra? La Tabla 2.3 incluye una lista de alimentos ricos en fibra. Escoge los alimentos que te gusten y que puedas incluir en tu dieta. La fibra suplementaria en polvo, que se puede comprar en muchas farmacias y supermercados, también funciona (no se recomiendan las pastillas de fibra debido a su tamaño). Si usas fibra en polvo, sigue las instrucciones del fabricante. La sensibilidad a la fibra varía mucho de una persona a otra. Una sobredosis pueda causar diarrea, y si se toma poca agua, la fibra puede causar estreñimiento. El agua permite que la fibra crezca y forme la masa que estimula el movimiento de los productos de desperdicio a lo largo del tracto intestinal. Sabrás que has consumido la cantidad correcta de fibra cuando tus deposiciones sean suaves y bien formadas.

Restricción de alcohol pero no de sal

El *American College of Obstetrics and Gynecology* (El Colegio Americano de Ginecología y Obstetricia) advierte que restringir el consumo de sal durante el embarazo no es bueno y puede ser perjudicial. No se debe restringir el consumo de sal o de sodio durante el embarazo. Las mujeres que comienzan su embarazo con hipertensión tal vez deban controlar cuidadosamente el consumo de sal y de sodio, siguiendo las recomendaciones específicas de su médico.

Es aconsejable que las mujeres embarazadas se abstengan de consumir bebidas que contengan alcohol debido a que éste puede hacerle daño al feto. Si quieres información adicional sobre este tema, consulta el capítulo 3.

Alimentos que sean de tu agrado

Tenemos algo que aprender de las orientaciones alimenticias japonesas. El último lineamiento dice: "Haz que todas las actividades relacionadas con los alimentos y el comer sean placenteros". Los estadounidenses viven siempre muy ocupados y a veces se olvidan del placer de compartir una buena comida con la familia y los amigos. Tómate el tiempo para dedicar toda tu atención a los alimentos que consumes y para disfrutar el placer de comer. ¡Buen provecho!

Nutrientes clave para el embarazo

Es importante consumir suficiente de cada uno de los nutrientes que se requieren durante el embarazo. No obstante, algunos de ellos requieren especial atención puesto que es muy probable que estén presentes en pocas cantidades en la dieta de mujeres embarazadas.

Ácido fólico

El ácido fólico, que mencioné brevemente en el capítulo anterior, es una forma sintética de folato (vitamina B) que ha ganado importancia como vitamina necesaria en grandes cantidades antes y durante el embarazo. El consumo de una cantidad adecuada de ácido fólico ayuda a prevenir anomalías en el crecimiento del feto, partos prematuros y bajo peso en los recién nacidos. El folato, forma natural de la vitamina, también desempeña estas funciones pero no de manera tan eficiente como el ácido fólico. El consumo de folato recomendado durante el embarazo es 600 mcg diarios, de los cuales 400 mcg deben provenir del ácido fólico.

Folato significa *follaje*. Fue descubierto en la espinaca y se encuentra en muchas verduras, especialmente aquellas que son verdes y tienen hojas. El brócoli, la naranja, el banano, la leche y las legumbres secas son buenas fuentes de folato. Las verduras y frutas proporcionan en promedio 42 mcg de folato por porción. Los cereales que consumimos al desayuno con frecuencia vienen fortificados con ácido fólico; por ley, los productos de cereales refinados, tales como el pan, la sémola de maíz, el arroz blanco, las galletas de soda y la pasta, también vienen fortificados con este ácido. Cada porción de estos productos suministra aproximadamente 40 mcg de ácido fólico, pero la cantidad que se agrega a los cereales del desayuno varía. Algunos cereales integrales no vienen fortificados, mientras que otros contienen 100-400 mcg por porción. Compra cereales para el desayuno que contenga al menos 100 mcg de ácido fólico por porción.

Si consumes cinco porciones de frutas y verduras al día junto con una porción de cereal fortificado al desayuno y seis porciones de productos con cereal, tu consumo total de folato será de al menos 600 mcg, la cantidad recomendada.

Vitamina B$_{12}$

La vitamina B$_{12}$ y el folato actúan conjuntamente para ayudar a formar los tejidos y órganos del feto. En promedio, las mujeres embarazadas consumen dos veces la cantidad de vitamina B$_{12}$ que necesitan (*y aquí viene el gran pero*). PERO las mujeres que no consumen productos animales o que comen cantidades muy limitadas de los mismos corren el riesgo de sufrir deficiencia de vitamina B$_{12}$. Si esa eres tú, sigue leyendo.

La vitamina B$_{12}$ sólo se encuentra en productos animales como el cerdo, el pollo, los huevos y la leche. Se le adiciona a algunos tipos de productos vegetales, dándole así a los vegetarianos y semivegetarianos una gama de alternativas para la obtención de la vitamina B$_{12}$. Entre los alimentos fortificados con fuentes no animales de esta vitamina está un tipo específico de levadura nutricional (*Red Start* 6635), la leche de soya y de arroz, y los cereales para el desayuno. Revisa las etiquetas de información nutricional y busca obtener alrededor de 2.6 mcg de vitamina B$_{12}$ al día.

Vitamina D

La vitamina D ayuda al crecimiento del feto, la fijación de calcio en los huesos y la formación de los dientes y el esmalte. La falta de esta vitamina compromete el crecimiento fetal y el desarrollo óseo, y esto puede suceder durante varios embarazos. Cerca del 42 por ciento de las mujeres afroamericanas y el 4 por ciento de las caucásicas tienen bajos niveles de vitamina D en la sangre. Las vegetarianas también corren el riesgo de tener un nivel bajo de vitamina D debido a que ésta sólo existe naturalmente en los productos animales.

La recomendación oficial para el embarazo es 5 mcg (200 UI) de vitamina D al día. Sin embargo, algunos expertos confiables aseguran que se necesita más que esa cantidad. No sería sorprendente una recomendación del doble de este consumo. No obstante, no debes obtener de alimentos y suplementos más de 50 mcg diarios (2000 UI) de vitamina D.

Una gran fuente de vitamina D es el sol. Los rayos ultravioleta del sol convierten el colesterol que hay en la piel en vitamina D. Una persona de piel clara que tome el sol durante media hora en traje de baño en una tarde de verano produce alrededor de 1.250 mcg (50.000 UI) de vitamina D. Las personas de piel oscura necesitan de 2 a 5 veces esa cantidad de exposición solar para producir la misma cantidad de vitamina D. Dos sesiones de baño de sol de 15 minutos por semana proporcionan suficiente vitamina D y bajo riesgo de quemaduras para la mayoría de las personas. No hay evidencia de una sobredosis de vitamina D por exposición al sol.

La ropa, los filtros y las ventanas bloquean e impiden que los rayos ultravioleta lleguen a la piel y evitan la producción de vitamina D. La exposición de la piel a los débiles rayos del sol durante el invierno en climas fríos produce muy poca o ninguna vitamina D. Para probarlo, un profesor de Boston envió a varios estudiantes de postgrado a asolearse un rato en un tejado, ligeros de ropa, a mitad del invierno. Resultados: lo único que los estudiantes obtuvieron fue frío. La luz solar era demasiado débil para producir alguna cantidad de vitamina D en su piel.

La lista de alimentos que proporcionan vitamina D es corta (ver Anexo A). En Estados Unidos, la leche viene fortificada con 2. 5 mcg (100 UI) de vitamina D por vaso y es su fuente primordial. Esta fortificación de los alimentos se está volviendo cada vez más común debido a la poca atención a las normas que regulan la adición de las vitaminas B a los alimentos. Si te preocupan tus niveles de vitamina D, consulta las etiquetas de información nutricional de los productos y determina si estás pasando suficiente tiempo al sol.

Calcio

La falta de calcio en la dieta de la madre no perjudica el crecimiento óseo del feto como lo hace un nivel inadecuado de vitamina D. Si el consumo de calcio de una mujer es bajo, el calcio de los huesos de la madre será utilizado para satisfacer las necesidades del feto. Se ha demostrado que el bajo consumo de calcio puede estar relacionado con el desarrollo de hipertensión durante el embarazo.

El calcio es una preocupación bien importante para las mujeres que no consumen tres o más porciones diarias de productos lácteos, de leche de soya o de arroz, fortificada con calcio, o que no comen suficientes fuentes vegetales de calcio diariamente. Es muy difícil obtener el nivel recomendado de calcio —1.000 mg diarios— durante el embarazo si no se consumen estos alimentos. En el Anexo A se incluye una lista de fuentes alimenticias que puede ser útil para identificar lo que puedes comer para satisfacer tus necesidades de calcio. Cuando pienses en calcio, debes pensar automáticamente en vitamina D. Necesitas la vitamina D para absorber el calcio e incorporarlo a tus huesos.

Hierro

Durante el embarazo las mujeres tienen mucha necesidad de hierro debido a que éste se utiliza para generar gran cantidad de hemoglobina y para el crecimiento del feto. Por esta razón, el nivel de consumo recomendado de hierro durante el embarazo son 27 mg. La mayoría de las mujeres consumen la mitad de esa cantidad, y es común que conciban sin tener las reservas suficientes para compensar la necesidad de hierro del embarazo. En consecuencia, dar un suplemento de hierro durante el embarazo es una práctica rutinaria en muchas clínicas.

Sí es posible obtener suficiente hierro de una dieta, pero eso implica una selección cuidadosa de los alimentos. Una de las maneras más fáciles de obtener hierro de la dieta es consumir cereal para el desayuno altamente fortificado (como *Product 19, Most, Smart Start o To-*

tal)*. Estos cereales están fortificados con 18 mg de hierro por porción; muchos otros están fortificados con cuatro o más mg de hierro por porción. La absorción de hierro a partir de los cereales se puede duplicar o triplicar si estos se consumen junto con una fuente de vitamina C, como jugo de naranja o de toronja. La absorción de hierro a partir de alimentos vegetales (col rizada, nabo, espárrago, arveja, fríjol seco y espinaca) también aumenta sustancialmente si en la misma comida se consumen alimentos ricos en vitamina C. En el Anexo A se incluye una lista de alimentos que son buena fuente de hierro y vitamina C. La absorción de hierro a partir de la carne es más completa que a partir de vegetales. En promedio, una porción de 3 onzas de carne roja (más o menos el tamaño de una baraja de cartas) proporciona 3 mg de hierro, y una porción de 3 onzas de pescado o pollo, suministra 1 mg de hierro. El hígado es una excelente fuente de hierro (proporciona 7.5 mg por cada 3 onzas), pero no se debe consumir más de una vez por semana debido a que contiene altas cantidades de vitamina A.

Las ollas de hierro fundido o colado son una buena fuente de hierro puesto que los alimentos absorben parte de ese hierro durante la cocción. Aunque es difícil decir cuánto hierro se obtiene de la olla, probablemente son varios mg por porción de comida o de alimento cocinado durante 10-15 minutos. Los alimentos ácidos, como los tomates y la salsa de manzana, filtran más hierro de la olla que alimentos como la papa o el huevo. Si eres novata en el uso de ollas de hierro fundido, asegúrate de "curarlas primero". El capítulo 11 te enseña cómo hacerlo.

Aunque una mujer embarazada con buena salud requiere 27 mg de hierro por día, muchos suplementos prenatales contienen mucho más de esa cantidad (45 a 60 mg). El uso de altas dosis de hierro, especialmente en mujeres que tienen buenas reservas de este mineral, causa gases, cólicos y estreñimiento y pueden disminuir la absorción de zinc. La práctica de dar altas dosis de hierro de manera rutinaria a las mujeres embarazadas se considera "anticuada". Las dosis de hierro superiores a 27 mg diarios se deben suministrar en caso de deficiencia de hierro o de anemia ferropénica, pero no de manera rutinaria.

---

*   Cereales disponibles en Estados Unidos.

Zinc

Los niveles adecuados de zinc en el embarazo ayudan a la mujer a ser resistente a enfermedades infecciosas, pueden prevenir un trabajo de parto excesivamente largo y ayudan al crecimiento fetal. El consumo de zinc recomendado durante el embarazo es 11 mg diarios, y una de cada dos mujeres consumen menos de esa cantidad. El zinc y el hierro se encuentran en muchos de los mismos alimentos (carnes, cereales fortificados para el desayuno y legumbres secas).

Yodo

El yodo es necesario para el funcionamiento normal de la tiroides y juega un papel importante en la construcción y mantenimiento del tejido proteínico. La falta de yodo durante el embarazo puede interferir con el desarrollo del feto y, en caso extremo, causar retardo mental, poco crecimiento y malformaciones en los bebés.

Aproximadamente la mitad de las mujeres embarazadas estadounidenses consumen menos de los 220 mcg recomendados de yodo por día. La fuente más confiable de yodo es la sal yodada. Una cucharadita contiene 400 mcg. La sal a la que se agrega yodo está claramente identificada como "yodada". El pescado, los mariscos, las algas y algunos tipos de té también proporcionan yodo (ver en la última página del Anexo A una lista de fuentes de yodo).

El yodo también está presente en los alimentos elaborados en plantas donde se usan soluciones de yodo para limpiar los equipos. Las mujeres que consumen sal yodada seguramente no necesitan un suplemento de este mineral. El consumo normal de yodo no debe exceder los 1.100 mcg diarios durante el embarazo.

Antioxidantes

Uno de los argumentos más convincentes para obtener los nutrientes que necesitas de los alimentos y no de suplementos es el hecho de que los alimentos proporcionan fitoquímicos específicos (químicos vegetales) que benefician la salud y la reproducción. Algunos fitoquímicos son pigmentos naturales y otros protegen a las plantas de los insectos y las enfermedades. Muchos de los pigmentos actúan como antioxidantes, protegiendo las células de la planta y su ADN del daño causado por la exposición al oxígeno. Una amplia gama de estos pigmentos vegetales tienen los mismos efectos antioxidantes en los humanos. Durante el embarazo, estos pigmentos antioxidantes favorecen la salud de la madre, reduciendo la inflamación. También ayudan a proteger las células del feto en desarrollo. Las vitaminas C y E que se encuentran en las plantas también juegan un papel antioxidante importante en el embarazo.

Los alimentos ricos en pigmentos antioxidantes muestran esa característica a través de su color. Busca siempre frutas y vegetales que tengan un color vivo: rojo, naranja, verde oscuro, amarillo fuerte y morado. Están cargados de deliciosos antioxidantes. Muchos de estos mismos alimentos son ricos en vitamina C. Si estás buscando vitamina E, tendrás que cambiar de ruta y buscar la sección del supermercado donde encuentres nueces, semillas y aceites.

Vitamina A, consumir suficiente pero no demasiada

La vitamina A es un ejemplo clásico de que la falta o el exceso de algo bueno puede ser perjudicial. Esta vitamina es necesaria durante el embarazo para el desarrollo del corazón, el sistema nervioso central, los sistemas circulatorio y respiratorio, y el sistema óseo del feto. Un consumo deficiente de vitamina A, lo mismo que un exceso de ella, puede causar malformaciones. Cerca de la mitad de las mujeres embarazadas de Estados Unidos consumen menos de 770 mcg (2.564 UI) diariamente, que es la cantidad recomendada. Un porcentaje mucho menor de mujeres consumen demasiada vitamina A.

Los resultados de la evaluación de tu dieta te permitirán saber si estás consumiendo muy poca vitamina a partir de los alimentos (menos de 770 mcg por día). Un consumo superior a 3.000 mcg

(10.000 UI por día) de vitamina A preformada se considera excesivo. La vitamina A preformada se encuentra en productos animales tales como el hígado y los huevos, y en medicamentos utilizados para el acné y las arrugas. Los suplementos, alimentos fortificados y medicamentos que contienen retinol, ácido retinoico, retinil palmitato y retinil acetato proporcionan vitamina A preformada. Los suplementos y medicamentos que contienen altas dosis de vitamina A preformada *no deben ser usados* por mujeres en embarazo o que piensan concebir un hijo. Su uso se debe suspender al menos tres meses antes de la concepción.

La vitamina A también se produce en el cuerpo a partir del betacaroteno, un pigmento vegetal. Los altos consumos de betacaroteno no conducen a la producción excesiva de vitamina A en el cuerpo. El betacaroteno es considerado la forma preferida de la vitamina para uso en alimentos fortificados y suplementos. Es de color anaranjado brillante y se encuentra en verduras y frutas como la calabaza, la zanahoria y las patatas dulces, lo mismo que en hortalizas de color verde oscuro que tienen hojas.

Proteína

La proteína proporciona los elementos indispensables para construir los tejidos y órganos del feto. Es un componente clave de las enzimas, los glóbulos rojos, los huesos y muchas otras partes del cuerpo. Merece su reputación de nutriente muy importante para las mujeres gestantes. Sin embargo, en promedio, las mujeres consumen más proteína de la necesaria para el embarazo. Pero el consumo promedio relativamente alto entre las mujeres embarazadas no lo es todo; una de cada cuatro mujeres consume menos de los 71 g recomendados.

La proteína se encuentra en buenas cantidades en la carne, la leche, el queso los huevos y los granos secos. También está presente en cantidades modestas en los cereales. Puedes usar la información del contenido de proteína de los alimentos que aparece en la Tabla 2.4 para calcular rápidamente cuánta proteína consumes diariamente.

La proteína en polvo y los suplementos proteínicos no son recomendables para el embarazo puesto que pueden atrofiar el crecimiento fetal. Tampoco se recomiendan las dietas altas en proteína (bajas en carbohidratos), pues generalmente proporcionan bajas cantidades de ácido fólico, vitamina C, fibra y otros nutrientes específicos. El exceso de proteína en la dieta perturba la construcción de tejido proteínico e interfiere con el desarrollo normal del feto.

EPA y DHA

El EPA y el DHA, dos ácidos grasos omega-3, se están convirtiendo en el ácido fólico del pasado reciente. Las nuevas investigaciones nos informan con rapidez acerca de su papel en el desarrollo fetal e infantil y de los beneficios de consumirlos en cantidades adecuadas. El EPA (ácido eicosapentanoico) y el DHA (ácido docosaexaenoico) son ácidos grasos de cadena larga, altamente insaturados, que favorecen la salud de la madre y el óptimo desarrollo de la visión y el sistema nervioso central del feto y el bebé. Las mujeres que tienen un consumo adecuado de EPA y DHA durante el embarazo y la lactancia tienden a dar a luz bebés que desarrollan un nivel de inteligencia un poco superior, tienen mejor visión y además un funcionamiento del sistema nervioso central más maduro que los bebés que nacen de mujeres cuyo consumo de EPA y DHA es bajo. Las tazas de parto prematuro son sustancialmente inferiores entre las mujeres que consumen estos ácidos grasos en cantidades adecuadas.

Actualmente se recomienda un consumo total de 300 mg de EPA + DHA diarios durante el embarazo y la lactancia. La mayoría de mujeres embarazadas lactantes en Estados Unidos consumen menos de un tercio de esta cantidad.

El EPA y el DHA se encuentran conjuntamente en el pescado, los aceites de pescado y los mariscos (resulta que el pescado efectivamente *es* un alimento para el cerebro); el DHA está disponible en huevos fortificados con omega-3 ("Huevos Omega"). Tanto el EPA como el DHA están disponibles también en suplementos, puesto que ambos se extraen de aceites de pescado y el DHA lo pueden producir las microalgas.

Desafortunadamente, algunos tipos de pescado están contaminados con mercurio y otros agentes contaminantes que pueden afectar negativamente el desarrollo mental del feto. En consecuencia, comer pescado durante el embarazo y la lactancia debe restringirse a 12 onzas o menos por semana. Las mujeres embarazadas y lactantes *no deben comer* en absoluto ciertos tipos de pescados depredadores de gran tamaño que tienen altos contenidos de mercurio (pez espada, blanquillo, tiburón y sierra). En general, los pescados salvajes (más que los cultivados) y los enlatados tienen los niveles más bajos de mercurio. Muchos tipos de pescados pequeños no depredadores (de menos de 50 centímetros de largo) y mariscos, sin embargo, contienen apenas una cantidad perceptible de mercurio y un buen suministro de EPA y DHA. Estos pescados y mariscos, al igual que otras fuentes de EPA y DHA, se encuentran en las listas de la Tabla 4.1.

Seguridad de los alimentos durante el embarazo

Ciertas enfermedades causadas por alimentos pueden tener consecuencias devastadoras durante el embarazo debido a sus efectos sobre el feto. Las dos enfermedades más importantes causadas por alimentos son la *listerosis*, causada por *listeria monocitogenes*, y la *toxoplasmosis*, una infección adquirida por el *toxoplasma gondii*.

La infección causada por la bacteria listeria durante el embarazo está asociada con abortos, partos en los que el bebé nace muerto, y problemas de visión en los niños. La listeria se encuentra en la tierra y en las heces de animales y humanos portadores de la bacteria. La listerosis se puede desarrollar como resultado del consumo de cualquier alimento que haya estado en contacto con la bacteria *listeria*. Comúnmente, la bacteria se propaga a través de carne, pescado y leche no pasteurizada, quesos suaves y otros productos lácteos. Para prevenir la infección, las mujeres no deben comer carne o pescado crudo o mal cocinado, ni huevos o productos lácteos no pasteuriza-

TABLA 4.1   FUENTES SEGURAS DE SUMINISTRO DE EPA Y DHA*

Alimento fuente	EPA + DHA, mg
Sardinas, 3 ½ onzas	1000–1800
Salmón, 3 ½ onzas	1000–1800
Anchoas, 3 ½ onzas	1400
Bacalao, 3 ½ onzas	1300
Lenguado, 3 ½ onzas	400–900
Camarones, 3 ½ onzas	500
Carbonero, 3 ½ onzas	500
Cangrejo rey, 3 ½ onzas	400
Langosta, 3 ½ onzas	400
Bacalao, 3 ½ onzas	300
Pescado abadejo, 3 ½ onzas	200
Mojarra, 3 ½ onzas	200
Almejas, 3 ½ onzas	100
Otros:	
Yema de huevo, 1	40
Huevo fortificado con DHA, 1	150–300
Leche materna, 3 ½ onzas	200
Suplementos	100+

*   Contenido de mercurio por porción calculado.en <0.2 ppm

Fuente: Purdue University, http://fn.cfs.purdue.edu, 2004; http://vm.cfsan.fad.gov/-frf/sea-mehg.html, 2001

dos. Se deben lavar las manos cuidadosamente antes de manipular los alimentos.

El toxoplasma gondii es un protozoario que se encuentra en la tierra y en las heces de animales y humanos infectados. Puede terminar sobre o al interior de alimentos como los huevos y la carne que entran en contacto con las heces de animales en las plantas de procesamiento. Te puedes infectar a través del aire al limpiar una caneca que contenga heces contaminadas. La toxoplasmosis durante el embarazo puede causar retardo mental, ataques y hasta la muerte del feto, al igual que desórdenes posteriormente en la vida del niño. Para evitarla, hay que tener en cuenta lo siguiente:

• Usar guantes cuando arregles el jardín.

- Lavarte las manos cuidadosamente antes de manipular la comida.
- Limpiar las verduras y frutas antes de comerlas.
- No comer carnes ni huevos crudos o poco cocidos.
- Pedir a otra persona que limpie la caneca de la basura si tu mascota sale a la calle.

La seguridad de los alimentos es un aspecto importante durante el embarazo. Sin embargo, las reglas básicas de seguridad para la manipulación y almacenamiento de alimentos deben seguirse siempre. Al final de este libro, encontrarás información confiable sobre la seguridad de los alimentos en la sección Recursos Adicionales para este capítulo.

Alimentación del bebé en crecimiento

Sólo las mujeres bien alimentadas están en condición de alimentar de manera óptima al feto. Esto se debe a que, cuando comes, los nutrientes que consumes no van directamente al feto; el cuerpo los procesa convirtiéndolos primero en formas que el cuerpo puede utilizar. Después de procesados y puestos a disposición para su uso, generalmente se satisfacen primero las necesidades que la madre tiene de esos nutrientes. Por ejemplo, si las reservas de hierro de una mujer son bajas o si tiene muy poca vitamina D disponible, el suministro de hierro o vitamina D que ingrese al cuerpo será utilizado primero para satisfacer las necesidades de la madre. Cuando la necesidad de la madre queda satisfecha, la placenta tiene prioridad sobre el suministro de nutrientes disponibles. Cuando la placenta tiene un suministro de nutrientes suficiente para crecer y funcionar normalmente, entonces el feto tiene acceso a los nutrientes disponibles. En pocas palabras, el feto no pide primero los nutrientes suministrados por la dieta de la madre. El sistema de prioridades de favorecer el suministro a la madre por encima del feto tiene sentido biológicamente. La Madre Naturaleza le da prioridad a la salud del individuo reproductor. Para un crecimiento fetal óptimo, las dietas durante el embarazo deben satisfacer las necesidades tanto de la madre como del feto.

Preguntas sobre dieta y embarazo

Esta sección aborda muchas de las preguntas comúnmente formuladas por las mujeres embarazadas. Las preguntas se dividen en cinco categorías:

- Dieta general.
- Alimentos que hay que comer o evitar.
- Apetito y antojos.
- Dieta y cambios en el cuerpo de la mujer.
- Datos curiosos del embarazo.

Algunas de estas categorías ya fueron mencionadas en los capítulos anteriores y algunas serán tratadas con más detalle en los posteriores, pero quiero presentar aquí una breve mirada a las preguntas más comunes que he escuchado en estos años.

Dieta general

¿Cuánto debo comer durante el embarazo?

Lo suficiente como para subir de peso a un ritmo apropiado. La cantidad de comida que una mujer debe consumir durante el embarazo varía según el nivel de su actividad física y otros factores. No hay un número de kilos por aumentar que sea correcto para todo el mundo. Si esto te preocupa, la mejor manera de juzgar si estás comiendo suficiente o demasiado es monitorear tu aumento de peso, usando la información que se presenta en el capítulo 6.

¿Cómo saber si estoy comiendo lo suficiente para el bebé?

Generalmente lo puedes saber por tu aumento de peso. Si tu aumento de peso es el planeado, seguramente estás comiendo suficiente para el bebé. A veces las mujeres suben mucho de peso (2 o más libras en una semana) aunque no estén comiendo tanto. Si estás reteniendo líquidos, te puedes inflamar o presentar *edemas* en la parte inferior de las piernas y en las manos. En este caso, no puedes confiar en tu peso para saber con certeza si estás comiendo suficiente o demasiado. Comer alimentos básicos para satisfacer tu apetito, o al menos no restringir tu consumo de alimentos, puede ser tu mejor guía en esta situación.

Estaba subida de peso antes de quedar embarazada. ¿Debo comer tanto como las otras mujeres?

Debes comer lo suficiente para mantener un aumento de peso gradual. Si comenzaste tu embarazo con un Índice de Masa Corporal IMC superior a 30, debes aumentar alrededor de media libra por semana. El embarazo no es el momento para perder peso, no importa cuál haya sido tu peso antes de quedar embarazada.

Soy vegetariana. ¿Debo hacer algo en especial?

Una dieta vegetariana bien planeada es saludable para el embarazo. Sin embargo, es prudente evaluar tu consumo de vitamina B_{12}, vitamina D, EPA y DHA, calcio, hierro y zinc. También debes monitorear tu aumento de peso. Algunas leches de soya y de arroz y muchos cereales para el desayuno vienen fortificados con algunos de estos nutrientes clave, pero debes revisar las etiquetas de información nutricional para estar segura. Puedes usar un suplemento multivitamínico y mineral si es necesario.

¿Acaso el bebé no toma de mí lo que necesita, sin importar lo que yo coma?

El feto no actúa como un parásito. Lo que tú comas es importante. La dieta y las reservas de nutrientes de la madre deben ser adecuadas para satisfacer sus propias necesidades y las del feto en crecimiento. Existen casos de bebés que nacen con enfermedades causadas por deficiencia vitamínica de madres que no muestran señales de deficiencia.

¿Acaso el cuerpo no me dice qué debo comer durante el embarazo?

No existe una voz interna que oriente a la mujer sobre una dieta nutritiva durante el embarazo. Las mujeres toman esas decisiones con base en años de aprendizaje de experiencias relacionadas con comida.

¿Debo controlar mi consumo de grasa?

El embarazo no parece ser el momento para hacer una dieta baja en grasa. Una dieta así puede interferir con la obtención de calorías suficientes y puede privar al feto de ciertos tipos de grasas que son necesarios para su desarrollo. Es mejor evitar las grasas *trans* ya que éstas pueden afectar el desarrollo del feto.

No estoy comiendo mucho más de lo que comía antes de quedar embarazada y sin embargo estoy aumentando de peso. ¿Cómo puede suceder eso?

Eso puede suceder especialmente durante los primeros meses del embarazo, cuando la mujer tiende a cansarse fácilmente. Probablemente se deba a una disminución de la actividad física. Muchas mujeres reducen sus niveles de actividad física durante el embarazo sin cambiar mucho su consumo alimenticio. Las calorías que se almacenan por un menor consumo de energía en actividad física pueden contribuir al aumento de peso.

¿Debo sacar una cita o pedir que me remitan a un dietista o un nutricionista durante el embarazo?

La respuesta es "sí" para las mujeres que:

- Duden de que la información o los consejos que han recibido sobre nutrición sean precisos.
- Hayan recibido información insuficiente sobre una duda nutricional para poder hacer los ajustes necesarios.
- Tengan diabetes gestacional o hayan comenzado su embarazo con un desorden como PKU, enfermedad renal crónica, diabetes o un desorden alimenticio; tengan problemas para aumentar de peso o para consumir una dieta saludable; o tengan una dieta restrictiva.

Los dietistas o nutricionistas perinatales se especializan en embarazo y son tu mejor recurso. Muchas organizaciones dedicadas al cuidado de la salud cuentan con estos especialistas y casi todas las compañías de seguros reembolsan los costos de sus servicios con la remisión de un médico o por solicitud del paciente. Si tienes preguntas con respecto a la cobertura, habla con tu proveedor de seguros. Si no tienes seguro médico, llama al servicio de salud local y pide hablar con un nutricionista que sepa de embarazo.

¿Puedo comer o beber durante el parto?

Eso depende de a quién le preguntes. Algunos médicos insisten en que las mujeres no deben comer o beber durante el parto, mientras que otros lo consideran un mito. La razón básica para no permitir el consumo de líquidos y alimentos durante el parto tiene que ver con el posible uso de anestesia general. Si se aplica anestesia para un parto con intervención quirúrgica, puede presentarse vómito y algunos de los contenidos del estómago pueden ir a los pulmones. Esto puede causar serios problemas. Por otro lado, algunos médicos permiten que las mujeres consuman líquidos o alimentos livianos durante el parto si la probabilidad de usar anestesia general es extremadamente baja; consideran que los líquidos y los alimentos ayudan a mantener hidratada a la mujer y pueden ayudar a evitar la fatiga. Afrontar la parte activa del parto con el estómago lleno probablemente es como tener una comida muy pesada justo antes de atravesar un río; no es una buena idea.

Alimentos que hay que comer o evitar

No me gusta el pescado y no quiero comer esos huevos "medicados". ¿De dónde más puedo obtener EPA y DHA?

Las opciones que tienes son limitadas. Puedes obtener EPA y DHA en forma de suplemento de aceite de pescado purificado, y DHA a partir de suplementos de microalgas, o puedes comer mariscos (ver Tabla 4.1).

¿Puedo obtener EPA y DHA de aceites de nuez o de linaza? Sé que son buenas fuentes de ácidos grasos omega-3 y de ácido linolénico.

Éstas y otras fuentes vegetales de ácido alfalinolénico no suministran EPA y DHA. Aunque una parte del ácido alfalinolénico que se encuentra en el aceite de linaza, en las nueces, en el aceite de nuez y en las verduras de color verde oscuro con hojas es transformado por el cuerpo en EPA y DHA, la cantidad es muy limitada.

¿Qué aceites se consideran saludables?

Los aceites ricos en grasas monoinsaturadas (aceite de oliva, canola, alazor, nuez y linaza) y en EPA y DHA.

¿Es buena una dieta de alimentos crudos para una mujer embarazada?

No y ésta es la razón: las dietas de alimentos crudos generalmente son bajas en calorías, proteína, y ciertas vitaminas y minerales. Algunos de los alimentos que se incluyen en este tipo de dietas pueden ser fuente de enfermedades ocasionadas por alimentos.

No me digan que el chocolate es malo. No lo es, ¿o sí?

No, de hecho es bueno. El chocolate amargo es rico en flavanoles y fitoquímicos que ayudan a que el cuerpo utilice la glucosa. Puedes comerlo de vez en cuando. Prueba la salsa caliente de caramelo que se incluye en las recetas del capítulo 11.

¿Puedo comer caramelos oscuros de regaliz?

Si los comes, sólo debes hacerlo en cantidades muy pequeñas. Estos caramelos contienen glicirricina (en serio), una sustancia que puede provocar parto prematuro si se consume en exceso.

¿Debo tomar leche?

No. Pero sí debes asegurarte de obtener suficiente calcio y vitamina D. La leche es un alimento denso en nutrientes que es difícil de reemplazar en la dieta. Si puedes tomar leche, debes hacerlo. La leche achocolatada baja en grasa es una opción para las mujeres que sí beben leche pero no leche entera. El jugo de naranja fortificado con calcio y vitamina D también es una buena opción.

Los productos lácteos me producen gases y cólicos, por eso no los consumo. ¿Qué otros alimentos puedo comer para obtener suficiente calcio?

Tal vez sufras de intolerancia a la lactosa (como la mayoría de los adultos de todo el mundo). Si es así, puedes consumir leche baja en lactosa o leche deslactosada y probablemente yogur, o puedes tomar una pastilla de lactasa antes de consumir productos lácteos; sin embargo, estas pastillas tienden a ser bastante costosas.

Muchas personas, aunque no todas, que tienen intolerancia a la lactosa pueden comer cantidades pequeñas de productos lácteos con muy pocos o ningún efecto secundario. Tal vez puedas tomar uno o medio vaso de leche, o comer una onza de queso en una de las tres comidas sin sentir malestar. Muchos tipos de yogur contienen poca lactosa y son fáciles de digerir. Las leches deslactosadas están disponibles en todas partes o podrías ensayar las fortificadas de soya y de arroz.

Otra razón por la cual algunas personas no toleran los productos lácteos bien es porque tienen alergia a la proteína de la leche de vaca. Esta condición es poco común en los adultos, pero, si existe, reemplazar la leche entera por leche deslactosada no resolverá los incómodos síntomas. Los suplementos de calcio y vitamina D tal vez sean la mejor alternativa si eres alérgica a la leche y a los productos lácteos.

¿La comida picante le hace daño al bebé?

No. Los componentes de los alimentos picantes que terminan en la sangre de la madre no son dañinos para el feto. No obstante, te pueden producir gases.

¿Debo evitar los aditivos en los alimentos mientras estoy embarazada?

Los aditivos que no eran problema antes de la concepción tampoco deben serlo durante el embarazo. En general, se considera que los aditivos son seguros.

¿Puedo tomar gaseosas dietéticas si estoy embarazada?

Parecen ser seguras.

¿Puedo beber té de hierbas?

Tal vez sí y tal vez no. Si esta pregunta es importante para ti, lee la sección sobre remedios herbales del capítulo 5.

Ya he pasado la mitad del embarazo. ¿Será que un trago ocasional de vino o de cerveza le hace daño al bebé?

Probablemente no, pero de todas maneras es mejor no beber. Parece que un trago o dos a la semana a partir de la mitad del embarazo puede no hacerle daño al feto de manera muy notoria. No obstante, los efectos dañinos no se pueden descartar. En un estudio se encontró que una cantidad tan pequeña como un trago al día durante el embarazo estaba asociada con falta o déficit de atención en los niños a la edad de 14 años. Cuando una mujer embarazada toma una copita de alcohol, también lo hace su bebé. El alcohol es rápidamente transportado de la sangre de la madre a la del feto. Para estar segura, es mejor no tomar en absoluto durante el embarazo.

¿Le hace daño a mi bebé que yo tome café durante el embarazo?

El consumo de café durante los dos primeros meses de embarazo está ligeramente relacionado con el riesgo de aborto. No obstante, tomar café después de los primeros dos meses no parece hacerle daño al bebé, y tomar varias tazas de café al día se considera seguro. El consumo de café no se ha asociado con el desarrollo de malformaciones en el bebé ni tampoco con problemas de salud o de comportamiento más tarde durante la infancia.

No quiero volverme anémica, pero no me gusta tomar suplementos de hierro. ¿Hay algún alimento que pueda comer para prevenir la anemia?

Sí, sí los hay, y fueron presentados con el subtítulo "Hierro" en este capítulo. La necesidad de hierro aumenta bastante durante el embarazo, y puede ser difícil obtener suficiente cantidad del mismo sin tomar un suplemento. Las mujeres que entran al embarazo con una buena reserva de hierro y que consumen alimentos ricos en este mineral y en vitamina C suelen tener mejores niveles que las mujeres que conciben con unas reservas bajas y que toman pocas fuentes de hierro y de vitamina C. Si los niveles de hierro se bajan, se debe usar un suplemento ferroso en una dosis tolerable, empezando tan pronto como sea posible en el embarazo. Las bajas dosis de hierro (20-30 mg por día) generalmente se toleran mucho mejor que las altas dosis.

Se dice que algunas verduras de sabor fuerte son malas para el bebé. ¿Es cierto?

Hasta ahora no se ha demostrado la veracidad de informaciones según las cuales algunas verduras, como el brócoli, las repollitas de Bruselas, el repollo, el ajo y el coliflor produzcan náuseas a la mujer o le hagan daño al feto. Come la variedad de vegetales que desees. Realmente son muy buenos para ti y para el bebé.

¿Debo reducir la sal?

En términos generales, las mujeres embarazadas no deben restringir el consumo de sal. La práctica de reducir rutinariamente el consumo de sal en el embarazo no ha desaparecido completamente ni en éste ni en otros países, aunque no es una buena idea. De hecho, la restricción de sal puede ser dañina y está asociada con una dieta de baja calidad, poco aumento de peso y el nacimiento de bebés con peso por debajo de lo normal. No hay evidencia de que la restricción de sal ayude a reducir la alta presión arterial que se desarrolla durante el embarazo. La restricción de sal puede incluso agravar los problemas. Aunque las mujeres embarazadas no deben comer sal en exceso, deben consumirla "para darle sabor a la comida". Muchas mujeres sienten que su deseo de sal y de alimentos salados aumenta un poco durante el embarazo. Ese es un cambio normal.

Las mujeres que comienzan su embarazo con una hipertensión parcialmente controlada mediante restricción de sal en la dieta deben mantener una dieta que sea ligeramente menos restrictiva, ya que las mujeres embarazadas tienen mayor necesidad de sodio. Las mujeres con hipertensión preexistente deben trabajar de la mano de su médico en el control de su presión arterial durante y después del embarazo.

Apetito y antojos

Mi apetito no es muy bueno. ¿Qué puedo hacer?

Si no estás aumentando de peso y tu apetito ha sido malo durante más de una semana, probablemente tengas que comer por reloj en vez de obedecer tus ganas de comer. Eso significa comer a horas regulares y llevar contigo refrigerios. Comer poco y con frecuencia a veces resulta más fácil que comer grandes porciones para las mujeres que tienen poco apetito. Debes consultar con tu médico si intentas pero no puedes subir de peso. Si el mal apetito se debe a las náuseas y el vómito propios del embarazo, lee el capítulo 8 donde encontrarás consejos específicos.

El otro día en el desayuno me comí 6 pancakes grandes. Estaban deliciosos pero generalmente me siento llena después de comer dos. ¿Qué está ocurriendo?

Has ingresado a una "zona de hambre". La sensación de hambre y el consumo de alimentos por encima del promedio son típicos de los períodos de crecimiento del feto. No debes preocuparte demasiado. Estos períodos van y vienen.

Desde que quedé embarazada he tenido antojos. Mis amigos dicen que todo está en mi cabeza. Esos antojos son normales, ¿no es verdad?

Sí, son normales siempre y cuando no sean demasiados extraños (como el antojo de oler un limpiador específico o gasolina). El gusto y las preferencias por determinados alimentos normalmente cambian durante el embarazo.

Poco después de quedar embarazada, desarrollé un antojo fuerte por un tipo especial de arcilla. ¿Le hará daño a mi bebé si la como de vez en cuando?

Tal vez. Para algunas mujeres, el sabor y el olor de un tipo específico de arcilla resulta irresistible en el embarazo. Otras se sienten atraídas por el almidón de ropa, la tierra u otras sustancias que no se consideran alimentos. La arcilla o la tierra se pueden apelmazar en los intestinos, causar infecciones o parásitos en el tracto intestinal. Si la arcilla o la tierra asientan el estómago, hay medicinas que se pueden utilizar de manera más segura. Para algunas mujeres la leche en polvo resulta ser un buen reemplazo para el almidón de ropa.

Últimamente he tenido antojos de cubos de hielo y de hielo picado; parece que no pudiera dejar de morderlos. ¿Qué pasa?

Posiblemente tengas anemia ferropénica. Haz que tu médico te revise. Con frecuencia, aunque no siempre, comer hielo está asociado con una anemia causada por deficiencia de hierro. No se sabe por qué las dos condiciones ocurren al mismo tiempo.

¿El bebé me avisará cuándo es hora de comer?

No. Es tu cuerpo el que dispara la alarma del hambre.

¿Le haré daño al bebé si no como las cosas por las que siento antojo?

Los antojos durante el embarazo no parecen depender de las necesidades del feto. En consecuencia, no debes sentirte obligada a comer los alimentos específicos por los cuales sientes antojos.

Dieta y cambios en el cuerpo de la mujer

Mi hemoglobina ha bajado dos puntos durante los últimos dos meses. ¿Eso es normal?

Un descenso en hemoglobina durante el embarazo es normal, si no baja demasiado. Generalmente se considera una buena señal puesto que indica que el volumen de sangre en tu sistema circulatorio está aumentando. Un aumento saludable del volumen sanguíneo está asociado con un buen crecimiento del feto.

Se considera que una mujer tiene anemia por deficiencia de hierro cuando su hemoglobina baja por debajo de 10.5 g/dl (gramos por decilitro) en el segundo trimestre o por debajo de 11.0 g/dl en el tercer trimestre. Un aumento de hemoglobina, a menos que se dé como consecuencia del consumo de suplementos de hierro para contrarrestar la anemia, puede indicar que el volumen de sangre no se está expandiendo apropiadamente.

Tengo siete meses de embarazo y me hicieron un examen de sangre para medir coles-
terol y triglicéridos en una campaña de salud. ¡No podía creer lo altos que estaban!
¿Debo hacer una dieta especial para bajar mis niveles de colesterol y triglicéridos?

Si tú te sientes saludable, no es necesaria una dieta especial. El colesterol y los triglicéridos normalmente aumentan de manera sustancial
en el embarazo, especialmente durante el tercer trimestre. El feto tiene gran necesidad de colesterol y éste se necesita para formar tejido
nervioso y membranas celulares. Los triglicéridos se suben porque son
una fuente de energía para el feto. Si estás preocupada, hazte un examen de sangre de nuevo después del embarazo o varios meses después
de que dejes de amamantar a tu bebé.

Datos curiosos del embarazo

¿El embarazo dura realmente 40 semanas?

No, no es así. En promedio, el embarazo dura 38 semanas. La fecha
de parto se calcula a partir del día en que empezó el último período
menstrual, y la concepción no ocurre sino hasta unas dos semanas después de eso. Entonces, en las dos primeras semanas de un embarazo de
cuarenta no estás embarazada.

¿Qué tan probable es que dé a luz en la fecha de parto programada?

Tienes una probabilidad de 1 a 20. Tendría más sentido hablar de una
semana de parto calculada en lugar de una fecha. Las mujeres primerizas tienden a dar a luz a las 40 ó 41 semanas (asumiendo que el
embarazo es de 40 semanas), y las madres ya experimentadas lo hacen
a la semana 39.

¿Será mi bebé diestro o zurdo?

La condición permanente de ser zurdo o diestro parece establecerse
entre las 10 ó 12 semanas de embarazo cuando el feto toma un pulgar
para succionarlo. La noticia te la pueden dar muy temprano durante
una sesión de imágenes por ultrasonido.

Los tejidos y órganos del feto todavía están en formación después del segundo mes de embarazo, ¿verdad?

Por supuesto, pero en menor grado. Éste es un ejemplo asombroso de cómo un tejido se forma después del segundo mes. En el tercer mes de embarazo, el paladar en la boca del bebé se forma tan sólo en cuestión de horas.

Una dieta escogida cuidadosamente es la mejor garantía de que estás obteniendo la variedad y cantidad de nutrientes necesarios para el embarazo. No obstante, con frecuencia las vitaminas y los minerales se toman para "complementar" la dieta. En el siguiente capítulo se discuten las razones para usar suplementos y las precauciones que hay que tener para su uso.

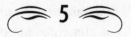

5

Suplementos vitamínicos, minerales y herbales

"Suficiente es tan bueno como un banquete".

—Mary Poppins

Dos de las palabras más poderosas en nuestro vocabulario nutricional son *vitaminas y minerales*. Estos son los elementos contenidos en los alimentos que dan salud, sostienen la vida y previenen la enfermedad. La percepción general que se tiene de las vitaminas y los minerales es tan positiva que tendemos a creer que no pueden ser perjudiciales; cuanto más los comamos, mejor. Esta visión puede ser la causa principal del uso excesivo de suplementos durante el embarazo.

En Estados Unidos, es casi de esperar que el médico prescriba un suplemento multivitamínico y mineral tan pronto como se confirma un embarazo. Si no lo hace, se puede poner en duda la calidad de su servicio. La expectativa de recibir dicho suplemento está tan arraigada que es difícil cambiarla, a pesar de que ya se conoce y se recomienda un mejor enfoque.

La mejor manera de garantizar el consumo adecuado de vitaminas y minerales en el embarazo es a través de la dieta y no de suplementos. Hay varias razones para ello: primero, no todos los nutrientes necesarios para el desarrollo y crecimiento óptimos del feto están disponibles en los suplementos. Los alimentos contienen muchas sustancias, además de vitaminas y minerales, que favorecen el crecimiento, el desarrollo y la salud. Segundo, los suplementos vitamínicos y minerales tampoco deben ser vistos como una garantía contra los daños causados por una mala dieta. Son una especie de venda que puede ayudar temporalmente a sanar las heridas causadas por una mala selección de alimentos, pero cualquier posible beneficio dura tan poco como dure el suplemento. La buena nutrición debe ser para toda la vida y no solamente para el embarazo.

Una última razón para tener cuidado con el uso de suplementos vitamínicos y minerales en el embarazo es que algo bueno consumido en exceso puede ser perjudicial. Las vitaminas y los minerales, al igual que todos los nutrientes esenciales, pueden ser beneficiosos o perjudiciales, dependiendo de la dosis. Para cada nutriente esencial, hay un rango de consumo que corresponde a los efectos benéficos de ese nutriente tanto en la madre como en el bebé. Cuando los insumos están por debajo de ese nivel, la salud de la madre y del feto se ven afectadas. La salud, el crecimiento y el desarrollo fetal se ven impedidos cuando los consumos de vitaminas y minerales exceden los niveles sanos. Es muy difícil consumir niveles perjudiciales de vitaminas o minerales a partir de los alimentos. Las sobredosis se deben casi siempre al uso excesivo de suplementos.

Estas preocupaciones son la razón para recomendar que cualquier suplemento multivitamínico y mineral sea prescrito como cualquier otro tratamiento: "según las indicaciones".

¿Quiénes deben tomar un suplemento multivitamínico y mineral?

Un suplemento multivitamínico y mineral está indicado para mujeres que:

Consumen un nivel inadecuado de vitaminas y minerales en su dieta

Una dieta de mala calidad que por cualquier razón no se puede mejorar es un fuerte indicio de la necesidad de un suplemento de vitaminas y minerales durante el embarazo. Los nutrientes que seguramente faltan en la dieta son: ácido fólico; vitaminas B_6, A, E y D; hierro, magnesio, zinc y calcio; y EPA y DHA. El mejor camino a seguir es cambiar la selección de alimentos para que la dieta esté en concordancia con las recomendaciones. Cuando eso no es posible, un suplemento multivitamínico y mineral que proporcione los nutrientes faltantes es lo indicado.

Están esperando dos o más bebés

La necesidad de nutrientes es mayor en las mujeres que esperan más de un bebé. Se desconoce el grado en que esa necesidad es mayor, pero generalmente se recomienda que las mujeres con embarazo múltiple tomen un suplemento vitamínico y mineral prenatal todos los días. (Ver más adelante en este capítulo "Suplementos vitamínicos y minerales para embarazos dobles".)

Tienen determinadas enfermedades o toman medicamentos que interfieren con la utilización que hace el cuerpo de los nutrientes

La recomendación de tomar un suplemento vitamínico y mineral durante el embarazo puede estar basada en una necesidad mayor de nutrientes debido a una condición específica de salud o a un medicamento. Por ejemplo, una cirugía de bypass gástrico aumenta dramáticamente la necesidad que tiene la persona de un suplemento vitamínico y mineral; el cigarrillo aumenta los requerimientos de vitaminas C y E, y los medicamentos utilizados para el tratamiento de ataques pueden aumentar la necesidad de ácido fólico. Ciertas condiciones hereditarias, como un mayor requerimiento de ácido fólico o una menor necesidad de hierro, pueden determinar los tipos y cantidades de nutrientes que requieren suplemento.

Si eres una persona saludable, has evaluado cuidadosamente tu dieta y tienes un consumo adecuado de todas las vitaminas, minerales, EPA y DHA, probablemente no necesitas un suplemento prenatal. Si en algún momento del embarazo se detecta una deficiencia de hierro, necesitarás un suplemento de hierro.

Análisis de los suplementos vitamínicos y minerales prenatales

Hay muchos tipos de suplementos vitamínicos y minerales prenatales disponibles en el mercado, cuyas formulaciones varían considerablemente (no hay estándares desarrollados científicamente para la formulación de suplementos prenatales). Algunos contienen 27 mg de hierro y otros 60 mg; otros no contienen vitamina D pero incluyen yodo. Si te han recetado un suplemento vitamínico y mineral prenatal, éste contendrá 1 mg o más de ácido fólico. Las dosis de ácido fólico superiores a 1 mg deben ser formuladas por un médico. Algunos de los suplementos prenatales de venta libre en farmacias y droguerías son muy similares en composición a los prescritos por un doctor, excepto por el hecho de que contienen menos de 1 mg de ácido fólico.

Los suplementos prenatales no vienen en pastillas únicamente; ahora se pueden comprar en distintas presentaciones (barras fortificadas, líquidos o cápsulas masticables). Estas presentaciones deben ser evaluadas de la misma manera que se haría con las pastillas.

Si se determina que te puedes beneficiar de un suplemento debido a que tu dieta es inadecuada, analiza el suplemento formulado por el médico u otros que consideres que puedes tomar. ¿Contiene ese suplemento los nutrientes que le faltan a tu dieta? ¿Te proporciona las cantidades apropiadas de esos nutrientes o aproximadamente los niveles de consumo recomendados para el embarazo? Escoge el suplemento que cumpla con estas condiciones.

Las etiquetas de los suplementos y productos alimenticios contienen la cantidad de cada nutriente contenido en una dosis (o porción) y el "% de Valor Diario" (VD) de esa cantidad. Se supone que el VD se aproxima a tu necesidad diaria del nutriente. Desafortunadamente, los VD utilizados para rotular suplementos y alimentos no aplican a mujeres embarazadas. Algunos de los porcentajes están bien lejos. Por ejemplo, los VD para las vitaminas A y D son el doble, y el VD para folato está 33 por ciento por debajo de los niveles de consumo recomendados durante el embarazo. La conclusión es que no se puede saber si un suplemento satisface tus necesidades a menos de que compares su composición de nutrientes con los niveles de consumo recomendados para mujeres embarazadas.

La Tabla 5.1 contiene la información que necesitas para evaluar la composición de los suplementos prenatales, ya sea en pastillas, barras o líquido. Contiene los niveles de consumo de nutrientes recomendados para el embarazo y el porcentaje del Valor Diario que estas cantidades representan. Así por ejemplo, el nivel de consumo de vitamina A recomendado durante el embarazo es 2.500 UI y el Valor Diario es 5.000 UI. Un suplemento cuya etiqueta diga que contiene el 50 por ciento del Valor Diario de vitamina A se ajustaría al nivel de consumo recomendado. Los Valores Diarios que aparecen en las etiquetas deben aproximarse a los Valores Diarios que aparecen en la última columna de la Tabla 5.1.

Suplementos de hierro

Los médicos y expertos en salud están cuestionando la práctica clínica muy común de dar a todas las mujeres embarazadas hierro adicional. Hay preocupación por el hecho de que se les está dando demasiado hierro a las mujeres que comienzan su embarazo con un buen nivel de reservas de hierro y que continúan consumiéndolo en cantidades suficientes. Estas mujeres en particular pueden desarrollar acidez, gases, cólicos e incluso diarrea o estreñimiento debido a los niveles excesivos de hierro suplementario. Las mujeres que no necesitan suplemento de hierro pero lo toman, absorben sólo una pequeña cantidad del total de hierro contenido en el suplemento. Esto deja una buena cantidad de hierro libre que puede irritar e inflamar las paredes del intestino.

TABLA 5.1   NIVELES RECOMENDADOS DE CONSUMO DE NUTRIENTES VERSUS VALORES PORCENTUALES DIARIOS QUE APARECEN EN LAS ETIQUETAS DE ALIMENTOS Y SUPLEMENTOS PRENATALES

Nutriente	Valor diario	Nivel de consumo recomendado para el embarazo	Valor porcentual diario equivalente al nivel de consumo recomendado para el embarazo
Vitamina A	5000 IU	2500 IU	50
Vitamina C	60 mg	85 mg	142
Vitamina D	400 IU	200 IU	50
Vitamina E	30 IU	10 IU	33
Vitamina K	80 mcg	90 mcg	113
Tiamina	1.5 mg	1.4 mg	93
Riboflavina	1.7 mg	1.4 mg	82
Niacina	20 mg	18 mg	90
Vitamina B$_6$	2 mg	1.9 mg	95
Folato	400 mcg	600 mcg	150
Vitamina B$_{12}$	6 mcg	2.6 mcg	43
Biotina	300 mcg	30 mcg	10
Ácido pantoténico	10 mg	6 mg	60
Hierro	18 mg	27 mg	150
Yodo	150 mcg	220 mcg	147
Zinc	15 mg	11 mg	73
Magnesio	400 mg	350 mg	88
Selenio	70 mcg	60 mcg	86
Molibdeno	75 mcg	50 mcg	67
Manganeso	2 mg	2 mg	100
Cobre	2 mg	1 mg	50
Cromo	120 mcg	30 mcg	25
Calcio	1000 mg	1000 mg	100
EPA + DHA	300 mg	—	—

Fuentes: Consumos Alimenticios de Referencia, Instituto de Medicina, Academias Nacionales de Ciencia, 1998-2002; Simopoulos, A. P., Leaf, A. y Salem, N., Jr.: *"Workshop on the essentiality of and recommended dietary intakes for omega-6 and omega-3 fatty acids"* ["Taller sobre la importancia y los consumos recomendados de los ácidos grasos omega-6 y omega-3"]. *Nutrition Today* 35: 166-68, 2000.

Las mujeres que necesitan hierro tienen menos probabilidad de experimentar los efectos colaterales del suplemento.

Si estás experimentando efectos colaterales, tal vez debas revisar la dosis. Si está por encima de 30 a 45 mg por día, esa puede ser la razón. Si necesitas hierro pero estás experimentando los efectos colaterales de las pastillas, intenta tomarlas a la hora de acostarte o con un vaso de jugo de naranja o de toronja.

Las pastillas de hierro y los suplementos vitamínicos y minerales pueden parecer una golosina para los gateadores curiosos. Debido a que se pueden causar reacciones adversas cuando hay sobredosis, las pastillas y los suplementos de hierro no deben dejarse en lugares de fácil acceso para los niños pequeños.

Suplementos herbales

Los suplementos y remedios herbales tienen efectos secundarios y actúan como medicamentos pero no son regulados como tales. De hecho, muy poca regulación aplica a las hierbas. Los fabricantes no tienen que demostrar que se pueden usar con seguridad en el caso de mujeres embarazadas y ni siquiera tienen que demostrar su eficacia. La incertidumbre sobre la seguridad del uso de hierbas durante el embarazo ha obligado a la FDA (*Food and Drug Administration*) a sugerir a los fabricantes que se abstengan de incluir en las etiquetas de los productos herbales cualquier aseveración con respecto a la salud durante el embarazo.

Se sabe que aproximadamente un tercio de los productos herbales disponibles en el mercado no son seguros para las mujeres gestantes ni para el feto. Algunas de estas hierbas han sido usadas durante siglos y se consideran seguras excepto durante el embarazo. Por regla general, las dietas no se pueden considerar seguras con base en el uso tradicional. Se ha encontrado que algunas de estas hierbas causan malformaciones cuando se administran a animales preñados. La Tabla 5.2 contiene una lista de algunas de las hierbas más populares que se encuentran en esta categoría.

TABLA 5.2   HIERBAS NO RECOMENDADAS DURANTE EL EMBARAZO

Aceite de poleo-menta	Hoja de frambuesa
Aloe vera	Kava
Anís	Linaza
Borraja	Llantén
Cohosh azul	Mandrágora
Cohosh negro	Manzanilla
Cornezuelo del centeno (ergotoxina)	Palma enana americana
Coronilla real	Regaliz
Corteza negra del haw	Sasafrás
Diente de león	Sena
Enebro	Serpentaria (ageratina)
Ginkgo	Asperilla olorosa
Ginseng	Tanaceto
Haba tonca (sarapia)	Uña del diablo

La lista de hierbas que se sabe o se cree son seguras durante el embarazo es mucho más corta, ya que no se han hecho las pruebas necesarias en mujeres embarazadas. El té de menta y la raíz de jengibre que se toman para la náusea parecen ser seguras.

Los estudios realizados con mujeres no embrazadas muestran claramente que algunas hierbas pueden causar problemas. Hierbas tales como la haba tonca, la coronilla real y la asperilla olorosa contienen ingredientes naturales que adelgazan la sangre y pueden causar coagulación sanguínea lenta. La manzanilla, la mandrágora, el aceite de poleo-menta, el sasafrás, la serpentaria y la uña del diablo también tienen efectos muy fuertes sobre el cuerpo y deben ser evitadas durante el embarazo.

Suplementos vitamínicos y minerales para embarazos múltiples

Es más importante que las mujeres embarazadas de gemelos tengan una buena dieta y aumenten de peso apropiadamente a que tomen grandes cantidades de suplementos. Sin embargo, un suplemento vitamínico y mineral prenatal es recomendable para todas las mujeres que esperan dos niños o más. Los suplementos de hierro seguramente se necesitarán para prevenir la anemia por deficiencia ferrosa. Se deben tomar mayores niveles de hierro u otras vitaminas y minerales si se identifica una necesidad particular de nutrientes.

Las mujeres con embarazos múltiples tienen una exagerada necesidad de EPA y DHA aunque no se ha identificado un nivel específico de consumo, que seguramente está por encima de los 300 mg diarios recomendados a mujeres que esperan un solo bebé. Las fuentes de EPA y DHA aparecen en la Tabla 4.1

Preguntas sobre los suplementos vitamínicos y minerales durante el embarazo

¿Debo tomarme los suplementos que me dieron?

Depende de la razón por la cual te hayan ordenado el suplemento. Si te lo dieron para tratar o prevenir un problema específico, entonces sí. Si te lo dieron a ti y a cualquier otra mujer embrazada sin una razón particular, entonces tal vez no. Muchos médicos suministran suplementos a todas las mujeres gestantes porque es tradicional hacerlo o porque creen que los pacientes lo esperan. Si no estás segura de la necesidad de tomar el suplemento que te dieron, pregúntale a tu médico si hay una razón específica para que lo necesites.

¿Son los suplementos de calcio un buen reemplazo de la leche?

La leche es mejor que un suplemento de calcio porque contiene más nutrientes. Si necesitas tomar pastillas de calcio, asegúrate: de que estés obteniendo suficiente vitamina D del sol (15 minutos de exposición directa al sol en los brazos, las manos y las piernas, dos veces por semana, según se discutió en el capítulo 4); o de que estés consumiendo alimentos fortificados con vitamina D 3; o de que estés tomando alrededor de 200 UI de vitamina D en un suplemento junto con el calcio. Necesitas vitamina D para fijar el calcio.

Me cuesta trabajo tragar las pastillas. ¿Puedo conseguir suplementos en otra presentación?

El suplemento vitamínico y mineral que estás tomando o que necesitas puede venir en forma de líquido, pastillas masticables o barras fortificadas. Puedes partir o pulverizar muchos tipos de suplementos y tragar los pedazos o mezclarlos con alimentos o jugos. Infórmale a tu médico si tienes problemas para tragar. Muchas personas logran tragar la pastilla pero tienen problemas para hacer que ésta baje por el esófago.

¿Debo hablar con mi médico acerca de los suplementos herbales que estoy tomando o que quiero tomar?

¡Sí! Él o ella querrá asegurarse de que sean seguros.

6

Aumentar la cantidad
correcta de peso

"¿Voy a tener un bebé o un elefantito?"

—Anónimo

El embarazo tiene muchos momentos maravillosos, pero pararse en la balanza durante las visitas prenatales generalmente no es uno de ellos. Aunque se supone que las mujeres embarazadas aumentan de peso, los prejuicios culturales contra la gordura con frecuencia también se extienden a las mujeres gestantes. La preocupación por el aumento de peso puede llevar a los médicos e incluso a las mujeres a restringirlo indebidamente. El peso es un tema tan álgido en nuestra cultura que el progreso en el aumento del mismo generalmente se monitorea y maneja cuidadosamente durante el embarazo. Pero éste no es el caso en las culturas en las que se da menos importancia al peso de la mujer. Libres de la preocupación de mantener una apariencia delgada, las mujeres son libres de seguir los impulsos del cuerpo con respecto al hambre y la llenura. Bajo esta situación, las mujeres tienden a aumentar en promedio 32 libras durante el embarazo. El aumento de peso en dichas culturas generalmente no se juzga con severidad ya que las mujeres pueden manejarlo por sí solas. Sin embargo, este enfoque no funciona tan bien para muchas mujeres en sociedades altamente conscientes del peso como la nuestra, ya que el consumo de alimentos puede ser determinado por factores distintos a las señales de hambre y llenura que da el cuerpo.

Si los sistemas innatos para regular el consumo de alimentos han sido anulados por otras motivaciones para comer o no comer, entonces puede ser necesario prestar cuidadosa atención al progreso del aumento de peso en el embarazo. Los potenciales beneficios para el desarrollo y crecimiento del feto y para la salud futura del bebé hacen que valga la pena estar segura de ganar la cantidad de peso correcta durante el embarazo.

La cantidad correcta de peso que se debe subir durante el embarazo

Los estándares más recientes de aumento de peso durante el embarazo provienen del Instituto de Medicina de la Academia Nacional de Ciencias. Aunque en el pasado se publicaron informes similares, éstas fueron las primeras recomendaciones basadas fundamentalmente en los aumentos de peso asociados con bebés nacidos con el peso óptimo. El peso al momento de nacer es un indicador primario de la salud del bebé y está fuertemente influenciado por el aumento de peso durante el embarazo. Puesto que la cantidad de aumento de peso asociada con bebés de peso óptimo al nacer varía de acuerdo al peso que tenía la madre antes del embarazo, se dan recomendaciones separadas para las mujeres que comenzaron su embarazo bajas de peso, con peso normal, con sobrepeso u obesas. La Tabla 6.1 muestra estas recomendaciones (en ella se da el peso antes del embarazo en rangos de índice de masa corporal (IMC). En esta tabla también se muestran los aumentos de peso recomendados para mujeres que esperan mellizos o trillizos. Dichos aumentos deben resultar del consumo de una dieta saludable.

Subir la cantidad de peso recomendada no garantiza el nacimiento de un bebé saludable de un tamaño particular, pero mejora las posibilidades de un buen resultado. Las mujeres que aumentan la cantidad de peso sugerida tienen mayor probabilidad de dar a luz bebés con salud

TABLA 6.1   AUMENTO DE PESO RECOMENDADO EN EL EMBARAZO

Condición de peso antes del embarazo	IMC	Rango recomendado de aumento de peso (en libras)
Embarazo de gemelos	All BMIs	35–45
Peso por debajo de lo normal	<18	28–40
Peso normal	18.5–25	25–35
Sobrepeso	25–30	15–25
Obesidad	30+	15

robusta que comen y duermen bien y que no requieren intervenciones médicas especiales después de su nacimiento. Los bebés nacidos de mujeres que aumentan poco peso tienen mayor probabilidad de ser prematuros (nacer antes de 37 semanas de gestación), ser pequeños y requerir cuidados especiales después del parto. También corren mayor riesgo de desarrollar obesidad, diabetes, enfermedades cardiacas e hipertensión más adelante en su vida.

Patrón de aumento de peso

La figura 6.1 muestra el patrón esperado de aumento de peso según los rangos recomendados para mujeres bajas de peso, de peso normal, con sobrepeso u obesas, y también para el rango de aumento de 35 a 45 libras, recomendado para mujeres que esperan mellizos. Las mujeres generalmente no suben de peso hasta cuatro o seis semanas después del último período menstrual, o UPM, como aparece abreviado en la figura 6.1

Las tasas de aumento de peso que se muestran en la gráfica representan el punto medio de los rangos recomendados. Puesto que se recomiendan rangos de aumento de peso total y que las mujeres tienden a aumentar de peso por momentos y no continuamente, los aumentos que estén dentro del margen de unas libras más o unas libras menos de las indicadas en la gráfica se consideran normales. Lo mejor es que no

FIGURA 6.1   GRÁFICA DE AUMENTO DE PESO DURANTE EL EMBARAZO

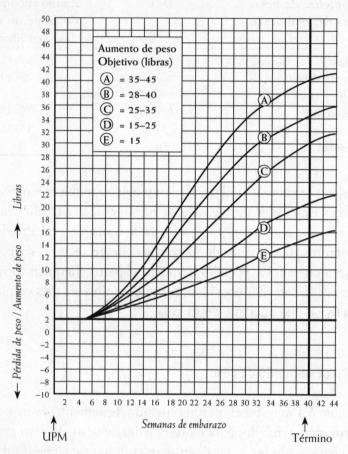

se pierda peso en ningún momento del embarazo, ya que eso parece afectar el crecimiento normal del feto.

Si utilizas la gráfica para monitorear tu progreso, debes pesarte más o menos a la misma hora del día, desnuda o usando siempre un tipo similar de ropa. El peso corporal normalmente fluctúa a lo largo del día y de esta manera puedes obtener una medida más exacta de tu aumento de peso.

¿A dónde se va el aumento de peso?

La Figura 6.2 muestra la distribución aproximada del peso en las mujeres que aumentan alrededor de 33 libras durante el embarazo. Solamente un tercio o un cuarto del aumento de peso total de una mujer en embarazo está representado por el feto. El resto se va a la formación de los tejidos que sustentan el desarrollo y crecimiento fetal.

El embarazo está acompañado de cambios importantes en el cuerpo de la mujer. Un incremento considerable del volumen sanguíneo, el crecimiento del útero y de los senos, y unas reservas de grasa más grandes sustentan el desarrollo y crecimiento fetal. La mayoría de estos cambios empiezan al comienzo del embarazo cuando el feto es aún muy pequeño. El cuerpo se prepara en la primera mitad del embarazo para satisfacer las necesidades excepcionalmente altas de energía y de nutrientes que tiene el feto y que ocurren durante la segunda mitad del embarazo.

Aumento de peso y embarazo múltiple

Si estás esperando dos o más bebés, comer bien y aumentar la cantidad correcta de peso puede marcar una diferencia impresionante en tu salud durante el embarazo, lo mismo que en la salud de tus bebés. Esta sección presenta información que rara vez se discute en el cuidado prenatal, pero que puede representar esa onza de prevención que vale mucho más que dos libras de sanación.

El consumo alimenticio y el aumento de peso durante un embarazo de mellizos requieren especial atención por varias razones. Las necesidades de energía y nutrientes y el esfuerzo que hace el cuerpo de la madre son enormes durante un embarazo múltiple. Debido a que los embarazos de mellizos generalmente son dos o tres semanas más cortos que los de un solo bebé, es necesario comer lo correcto y aumentar de peso tan pronto como sea posible durante el embarazo. Además, cuanto más saludable se mantenga la madre en este tiempo, mejor preparada estará para la agitada vida que comienza cuando nazcan los bebés.

FIGURA 6.2   ¿A DÓNDE SE VA TODO EL PESO?

He aquí a dónde va el peso en el caso de una mujer que aumenta 33 libras

Fuente: Esta ilustración fue diseñada para un programa educativo sobre nutrición y embarazo patrocinado por el *Healthy Infant Outcome Project* de la Universidad de Minnesota y financiado por el *Maternal and Child Bureau* del Servicio de Salud Pública.

Las recomendaciones alimenticias para las mujeres que esperan mellizos difieren tan sólo en un aspecto de las presentadas anteriormente. Estas mujeres necesitan niveles más altos de energía y nutrientes en su dieta. La Tabla 6.2 muestra una guía por grupo de alimentos que facilita la escogencia de una dieta que proporcione los nutrientes necesarios para una mujer que va a tener mellizos.

Algunas mujeres pueden necesitar consumir menos, o más, porciones de comida de cada grupo, dependiendo de su ritmo de aumento de peso. La gran cantidad de comida que necesita una mujer para nutrir a dos bebés hace que los refrigerios frecuentes estén a la orden del día.

Las mujeres que esperan mellizos deben aumentar más de peso que otras mujeres embarazadas. Además, deben empezar a subir de peso a un ritmo relativamente acelerado al comienzo del embarazo. Esto representa un desafío particular ya que las náuseas y el vómito son más comunes y más severos en los embarazos dobles. La orientación que se da en el capítulo 8 sobre el manejo nutricional de este problema puede ser útil para aquellas mujeres que pierden el apetito por las náuseas o a quienes les cuesta mucho trabajo retener los alimentos. En la medida de lo posible, lo mejor es subir de peso cuando se experimentan náuseas y vómito. Si no tienes buen apetito por otras razones, tal vez tengas que programar tus comidas a horas regulares y comer "por reloj" en vez de como respuesta a tu apetito.

La cantidad de peso que una mujer embarazada de mellizos debe aumentar depende de su peso antes de quedar embarazada. Las mujeres que empiezan su embarazo con un peso normal deben aumentar entre 35 y 45 libras, o aproximadamente 1 o 1 ¼ de libra por semana (la Figura 6.1 muestra una gráfica de aumento de peso durante el embarazo para mujeres que esperan mellizos y que tienen un peso

TABLA 6.2   GUÍA DE CONSUMO ALIMENTICIO PARA UN EMBARAZO MÚLTIPLE

Grupo guía de MiPirámide	Porciones sugeridas por día
Pan	8 – 12 onzas
Verduras	4 – 6 tazas
Frutas	3 – 5 tazas
Leche	4 tazas
Carne y legumbres	8 onzas
Aceites, otros (calorías)	Las necesarias para subir de peso

normal). Las mujeres que empiezan el embarazo con reservas de grasa amplias y suficientes deben ganar aproximadamente entre 25 y 35 libras, o aproximadamente ¾ de libra o 1 libra por semana. Si antes del embarazo la mujer estaba por debajo de su peso normal, se aconseja un aumento de 40-50 libras, o de una libra y cuarto o una libra y media por semana. Las tasas semanales de aumento de peso sugeridas se ajustan para los embarazos más cortos de mujeres que esperan mellizos. Si el embrazo supera las 37 semanas, el aumento de peso, en lugar de estancarse o incluso de disminuir, debe continuar hasta el momento del parto.

Las mujeres que esperan trillizos deben aumentar alrededor de 50 libras. El aumento de peso extra debe provenir principalmente de porciones adicionales de alimentos básicos.

Aumentos de peso por fuera de los límites

Los cambios de peso que se experimentan en el embarazo pueden diferir sustancialmente de los recomendados. Hay varias razones que explican por qué sucede esto. Una de ellas es el control intencional del aumento de peso para mantenerlo bajo. Restringir el aumento de peso al comienzo y al final del embarazo es particularmente común entre las mujeres que comienzan el embarazo con un sobrepeso y entre aquellas a las que les preocupa mucho su gordura.

Las náuseas y el vómito son una segunda razón por la cual el aumento de peso puede fracasar. Para las mujeres que sufren estas molestias al comienzo del embarazo, puede resultar difícil aumentar de peso. Aunque se solía pensar que la pérdida de peso al comienzo del embarazo por causa de náuseas y vómito era aceptable si el peso se ganaba de nuevo posteriormente, ahora parece que la situación ideal es un aumento de peso continuo y gradual. Para las mujeres que sufren de náuseas y vómito, puede ser necesario comer entre comidas, separar la ingestión de líquidos y sólidos, y comer alimentos fácilmente tolerables (en el capítulo 8 se dan consejos específicos sobre qué dieta manejar cuando hay náusea y vómito).

Una tercera razón para la divergencia del aumento de peso con la gráfica es la retención de líquidos. Algunas mujeres acumulan grandes cantidades de agua adicional a la necesaria para la expansión del volumen sanguíneo y otros propósitos. El aumento del contenido de agua en el cuerpo se puede reflejar en un aumento de peso inesperado. A veces se puede identificar el alto nivel de acumulación de agua por edemas, inflamación de las manos, los tobillos y los pies. A menos que vaya acompañada de una presión arterial alta y de proteína en la orina, dicha acumulación de agua se considera normal. De hecho, las mujeres que presentan edemas sin hipertensión ni proteína en la orina tienen mayor probabilidad de dar a luz bebés de tamaño normal que las mujeres que no lo sufren. El agua adicional que se acumula se pierde unos pocos días después del parto. Si el aumento de peso se debe a retención de agua y no a un consumo excesivo de calorías ni a una reducción considerable del nivel de actividad física, no es necesario que reduzcas tu consumo alimenticio.

El aumento de peso puede exceder los límites si la mujer consume demasiados alimentos. Las mujeres que reducen sustancialmente sus niveles de actividad física debido al descanso en cama, a una herida, o por otra razón pueden aumentar de peso más de lo esperado si el consumo alimenticio no cambia. Si la tasa de aumento de peso es demasiado alta, lo más indicado es reducir la cantidad de comidas y refrigerios.

Los períodos de aumento de peso excesivo durante el embarazo no pueden compensarse con pérdida de libras. En lugar de eso, se recomienda que la mujer le baje el ritmo a su aumento de peso comiendo menos o haciendo más ejercicio. *Nunca* se recomienda perder peso durante el embarazo. Los programas de pérdida de peso sólo se deben comenzar después del parto; tampoco deben ser tan severos como para que comprometan el nivel de producción de leche materna en las mujeres lactantes (puedes leer más sobre este tema en el capítulo 10).

Qué esperar en cuanto a pérdida de peso después del embarazo

Si el éxito de los programas de pérdida de peso se midiera por la cantidad de peso perdido, entonces el parto sería un programa muy exitoso. Las mujeres generalmente pierden 15 libras unos pocos días después del parto y aproximadamente 24 libras seis a ocho semanas después del parto. En promedio, las mujeres que suben de peso dentro de los rangos recomendados pesan alrededor de dos libras más de lo que pesaban antes un año después del parto, y las mujeres que suben de peso por debajo de los rangos recomendados pesan aproximadamente entre una y dos libras más. El peso corporal tiende a ser 5 libras o más un año después del parto, en el caso de las mujeres que suben de peso por encima de los rangos recomendados.

La retención de peso después del embarazo varía mucho de una mujer a otra. Algunas comienzan a subir de peso después del parto debido a cambios en los hábitos alimenticios o en los niveles de actividad física. Otras pierden peso de manera más o menos rápida. Es difícil predecir cuánto peso perderá una mujer después del parto. No obstante, es obvio que las mujeres que aumentan excesivamente de peso tendrán mucho más que rebajar después de que nazcan sus bebés.

Un ritmo razonable de pérdida de peso en las semanas posteriores al parto es una o dos libras por semana. Perder peso más rápido puede reducir tu nivel de energía, hacerte más susceptible a la enfermedad, y reducir el volumen de leche materna. Sé amable contigo misma y no trates de perder peso demasiado rápido después del embarazo. Con un nuevo bebé en casa, vas a necesitar toda la energía y resistencia de la que seas capaz.

Preguntas sobre el aumento de peso y el embarazo

¿Cuánto debe pesar mi bebé al nacer?

Los pesos de nacimiento óptimos basados en el menor riesgo de muerte y problemas de salud están entre 3.500 y 4.500 gramos (7 libras y

12 onzas a 9 libras y 14 onzas). Sin embargo, algunos bebés son naturalmente más pequeños o más grandes que otros y gozan de buena salud. No obstante, las probabilidades de tener una salud óptima al momento de nacer son más altas para los bebés cuyo peso está dentro del rango óptimo. Las metas sugeridas de aumento de peso están basadas en el nacimiento de bebés con pesos óptimos. Pero eso no siempre pasa porque otros factores, tales como el cigarrillo durante el embarazo, el parto prematuro, el tamaño de la madre, y el desarrollo de hipertensión o diabetes gestacional, al igual que otras condiciones, también pueden afectar el peso del bebé al nacer.

¿Las mujeres afro americanas deben aumentar una cantidad de peso diferente a las mujeres caucásicas?

No. Las recomendaciones son las mismas.

¿Cuánto peso debo aumentar?

Al igual que las medias veladas, ninguna talla le sirve a todo el mundo. La cantidad de peso que debes aumentar depende básicamente de tu peso antes de la concepción y de si estás esperando dos o más bebés. La Tabla 6.1 muestra los aumentos de peso recomendados para el embarazo.

¿La cantidad de peso que yo aumente afectará las probabilidades de que se adelante el parto?

El aumento de peso en la segunda mitad del embarazo está asociado con el riesgo de un parto prematuro. Las mujeres con poco peso o de peso normal que aumentan menos de 0.8 libras por semana y las mujeres con sobrepeso u obesas que suben menos de 0.7 libras por semana en el tercer trimestre corren un riesgo más alto de parto adelantado. Las bajas tazas de aumento de peso en la primera mitad del embarazo están más estrechamente relacionadas con el nacimiento de bebés pequeños, especialmente entre las mujeres que empiezan su embarazo con un peso inferior al normal.

¿Cómo saber si estoy aumentando la cantidad correcta de peso?

Primero, identifica tu rango de aumento de peso recomendado con base en tu grupo de IMC de antes del embarazo (Tabla 6.1). Luego marca tu aumento de peso en la gráfica de la Figura 6.1. En la medida en que estés aumentando consistentemente de peso, no te preocupes si éste difiere del que se muestra en la gráfica por unas pocas libras.

¿Por qué debo aumentar 30 libras si el bebé sólo pesará unas 8 cuando nazca?

Imagina que tratas de construir un carro sin tener la fábrica. La mayoría del peso que se gana en el embarazo está destinado al desarrollo de los tejidos maternos que sustentan el desarrollo y crecimiento del feto y la lactancia. Si el aumento de peso es demasiado bajo, estos tejidos no se desarrollan completamente o no funcionan de manera óptima y el desarrollo y crecimiento del feto se pueden ver comprometidos.

Si comencé el embarazo con sobrepeso, ¿está bien si pierdo peso durante el embarazo?

No. Nunca se considera inteligente ni sabio perder peso durante el embarazo. Las mujeres que empiezan el embarazo con reservas de grasas adicionales no necesitan subir tanto de peso como las mujeres que tienen menos grasa almacenada. No obstante, debido a que el feto necesita un suministro constante de glucosa, lo mejor es consumir suficiente comida para subir de peso a un ritmo lento y gradual a partir de la cuarta semana de embarazo.

Empecé el embarazo con sobrepeso y he tenido cuidado de mantener una dieta saludable desde que supe que estaba embarazada. El punto es que he estado perdiendo peso desde que comencé a comer de manera sana. ¿Hay problema si adelgazo aunque tenga una dieta realmente buena?

Debes aumentar un poco de peso. Consume más alimentos saludables. Es relativamente común que las mujeres con sobrepeso pierdan peso si se pasan a una dieta más densa en nutrientes durante el embarazo. Aunque es excelente que tus escogencias alimenticias sean saludables, de todas maneras tienes que subir de peso. El feto se ve más afectado adversamente que la madre por la pérdida de peso o el ayuno durante el embarazo. La pérdida de peso en el embarazo puede significar que el feto esté usando demasiada grasa para energía y no esté utilizando suficiente glucosa. También puedes reducir el incremento de volumen sanguíneo materno y comprometer la transmisión de nutrientes y otras sustancias que necesita el feto.

Me estoy engordando demasiado. ¿Cómo puedo reducir?

El aumento de peso durante el embarazo puede ocurrir en lapsos de varias libras en unos pocos días o una semana. Si esto ocurre porque has sentido mucha hambre y has comido como respuesta a esa sensación, no te preocupes demasiado por el aumento de peso en ese corto lapso. Probablemente tu apetito disminuirá con el tiempo. Si te estás engordando mucho y no has comido tanto, puedes estar reteniendo líquidos. Si el aumento de peso se debe al agua, no debes reducir tu consumo alimenticio.

Si tu patrón de aumento de peso después de varias semanas o un mes es muy alto porque estás comiendo demasiado, entonces es hora de reducir el tamaño de las porciones y tal vez de comer menos entre comidas. Lo primero que hay que eliminar de tu dieta son los alimentos que aportan menos valor nutricional. Aumentar la actividad física también puede ayudar a reducir el ritmo de aumento. Pero recuerda mantener positivo tu patrón de aumento de peso.

¿Qué tanto aumento de peso se considera demasiado?

Si comienzas tu embarazo con peso por debajo de lo normal, aumentar más de 45 libras; si el peso era normal, más de 42 o 44 libras; si tenías sobrepeso, 34 libras o más; si estabas obesa, subir más de 20 libras se considera excesivo. El principal problema del aumento de peso sustancial en el embarazo es tener que perder el peso de sobra después del parto.

Si aumento la cantidad recomendada de peso, ¿cuánto tendré que perder después de que nazca el bebé?

En promedio, las mujeres tendrán unas dos libras adicionales que adelgazar si aumentan la cantidad recomendada de peso. Las mujeres que aumentan más de la cantidad recomendada tendrán que perder más peso, y las que aumentan menos tienden a tener que bajar sólo una libra. El peso debe perderse gradualmente. El aumento de peso ocurrió durante nueve meses de embarazo, y no hay razón para esperar que todo el sobrepeso se pierda en unas pocas semanas o meses después del parto.

¿Qué problemas surgen al aumentar demasiado de peso durante el embarazo?

Hay varios:

1. Tendrás que perder más peso después del parto.
2. Puedes dar a luz a un bebé que es muy grande y que debe nacer por cesárea (aunque ésta es una razón poco común para una cesárea).
3. Te puedes sentir incómoda con tu aumento de peso.

Los grandes aumentos de peso en mujeres embarazadas saludables en realidad están asociados con muy pocas complicaciones. La mayor preocupación para las mujeres con peso normal o bajas de peso es el peso después del parto.

Mi compañero es alto. ¿Eso significa que el bebé será grande?

La estatura del padre tiene poca relación con el peso del bebé al nacer. Sin embargo, está relacionado con la eventual estatura de los niños.

Mi compañero se ha engordado más que yo en este embarazo.
¿Qué puedo hacer para ayudarlo?

¡Aha! ¡Un embarazo comprensivo! No es poco común que los compañeros suban de peso durante el embarazo; el aumento puede estar relacionado con la presencia de más comida en la casa y más oportunidades de comer. Tal vez tu compañero pueda planear reducir la cantidad de alimentos que consume en las comidas y entre éstas. Eso sería un buen comienzo. Él tampoco debería calcular cuánto come con base en la frecuencia y cantidad que tú comas.

Hacer ejercicio durante el embarazo

*"La lectura es para la mente
lo que el ejercicio es para el cuerpo".*

—Sir Richard Steele, ensayista y dramaturgo

El ejercicio regular es algo que muchas mujeres no quieren abandonar y que otras quieren iniciar durante el embarazo. Desafortunadamente, decidir qué hacer como ejercicio prenatal puede ser complicado. Las mujeres que buscan opiniones sobre la seguridad y los beneficios del ejercicio regular en el embarazo escuchan tanto informes entusiastas sobre sus beneficios como advertencias extremas sobres sus nefastas consecuencias. ¿Cuál es la medida exacta de ejercicio durante el embarazo? ¿Es seguro y beneficioso para la madre y el bebé, o puede ser peligroso? Este capítulo discute el estado actual del conocimiento y las recomendaciones sobre ejercicio durante el embarazo; también proporciona respuestas a las preguntas más frecuentes sobre este tema.

Éste es el veredicto. Las antiguas advertencias sobre los peligros del ejercicio durante el embarazo han sido enterradas bajo una pila de resultados de investigaciones que muestran que es bueno tanto para la madre como para el bebé en desarrollo. Se recomienda incluso para mujeres que eran totalmente pasivas antes de quedar embarazadas. No hay evidencia de que un ejercicio moderado o vigoroso realizado por una mujer saludable que consuma una dieta de buena calidad y que aumente de peso de manera apropiada sea perjudicial. La verdad es que el ejercicio es beneficioso.

Las mujeres que hacen ejercicio de manera moderada y regular tienden a experimentar menos las molestias normales del embarazo y se benefician de la sensación de bienestar que produce el ejercicio regular. El ejercicio regular durante el embarazo:

- Aumenta el volumen y flujo sanguíneo de la madre.
- Reduce el dolor en la parte baja de la espalda.
- Disminuye el riesgo de diabetes gestacional e hipertensión.
- Ayuda a mantener controlado el aumento de peso.
- Reduce los niveles de estrés.
- Favorece el crecimiento de la placenta y del feto.
- Disminuye la depresión pos parto.

Los niveles excesivos de actividad física en el embarazo pueden reducir el crecimiento del feto y aumentar el riesgo de parto prematuro. Sin embargo, una señal inequívoca de que el nivel de ejercicio es demasiado alto es el poco aumento de peso. El ejercicio o la actividad física que termina en cansancio extremo, que implica actividades de resistencia, y las actividades vigorosas realizadas en climas calientes y húmedos están descartados para las mujeres embarazadas. El embarazo no es el momento para lograr altos niveles de desempeño, ni para estar en forma, ni para practicar deportes competitivos.

Algunas mujeres deben consultar con su médico qué ejercicio pueden hacer durante el embarazo. Entre ellas están las que experimenten manchado o sangrado vaginal, las que tengan *placenta previa* (condición en la que la placenta cubre una parte o la totalidad del orificio del útero), que tengan amenaza de aborto, que tengan antecedentes de aborto, o que tengan lo que se conoce como *cuello uterino débil*.

Ejercicio durante el embarazo

El *American College of Obstetrics and Gynecology* (el Colegio Americano de Ginecología y Obstetricia) y otros grupos han estudiado los beneficios y peligros de la actividad física en el embarazo y han desarrollado recomendaciones para la práctica del ejercicio. Las siguientes orientaciones incluyen lo que debes y no debes hacer si practicas ejercicio mientras estás embarazada.

Lo que debes hacer:

- Haz ejercicio de manera moderada y regular a menos que tu médico te aconseje otra cosa.
- Practica sobre todo actividades que no impliquen levantar peso y que no requieran un buen sentido del equilibrio.
- Utiliza ropa suelta y liviana que permita que el calor escape y la humedad se evapore.
- Bebe suficientes líquidos durante el ejercicio y come adecuadamente.
- Consume una dieta saludable y aumenta de peso según lo recomendado.
- Haz ejercicio con un nivel de intensidad que te permita hablar normalmente, como si estuvieras teniendo una conversación.

Lo que no debes hacer:

- No hagas ejercicio ni realices trabajo físico hasta quedar extenuada. Detente cuando te sientas cansada.
- No hagas ejercicio acostada sobre la espalda durante el segundo y tercer trimestre.
- No hagas ejercicio en condiciones de calor o humedad.
- No realices actividades como flexiones de pecho ni practiques

deportes de contacto que puedan hacerle daño al abdomen o al útero, o que te hagan perder el equilibrio.

- No hagas ejercicio cuando tengas hambre o sed.
- No hagas ejercicio si te produce dolor o si te hace sentir débil, mareada o con náuseas.

Las mujeres embarazadas deben hacer ejercicio al menos durante 30 minutos cuatro veces a la semana. La intensidad del ejercicio es la correcta si puedes hablar normalmente mientras lo haces. Las sesiones de ejercicio deben comenzar con un período de calentamiento de cinco minutos que te permita estirar los músculos. Este período va seguido de unos 20 minutos de ejercicio y de un período final de 5-10 minutos de enfriamiento. El período de enfriamiento implica bajar el ritmo del ejercicio y hacer estiramiento.

Las mujeres embarazadas pueden practicar sanamente una amplia variedad de actividades físicas que son de bajo impacto y que no dependen de un buen sentido del equilibrio. Dichas actividades incluyen:

- Natación.
- Aeróbicos de bajo impacto.
- Ejercicios de fortalecimiento de bajo impacto.
- Caminar a paso ligero y trotar.
- Montar en bicicleta.
- Jugar golf.
- Jugar *frisbee*.
- Subir escaleras.
- Bailar.
- Hacer caminatas.
- Arreglar el jardín.

Para los últimos meses de embarazo, se recomienda cambiar a actividades o ejercicios que no impliquen levantar pesos.

Entre los ejercicios que *no* se recomiendan para mujeres embarazadas están:

- Esquiar.
- Bucear.
- Montar a caballo.
- Practicar deportes de contacto.
- Hacer surfing.
- Escalar montañas y rocas.
- Abdominales completos.
- Hockey de campo.
- Flexiones de pecho.
- Flexiones de cintura (hasta tocar la punta de los pies).

Ejercicio después del embarazo

Debido a los cambios fisiológicos que se presentan, la mayoría de las mujeres experimentan algún grado de descondicionamiento durante el embarazo. Si practicas ejercicio al nivel que lo hacías antes de quedar embarazada, puedes volver a estar en forma en unos seis meses después del parto. Por lo general, se puede empezar a hacer un ejercicio de bajo impacto 1-2 semanas después de un parto normal y 3-4 semanas después de una cesárea. Seis semanas después del parto ya puedes correr y hacer otras actividades vigorosas. Hay un efecto secundario placentero asociado con el mantenerse físicamente activa después del embarazo. Seguramente regresarás a tu peso antes del embarazo más pronto que si vuelves a la quietud.

Si experimentaste alguna complicación durante el embarazo o el parto, consulta con tu médico antes de empezar a hacer ejercicio regular. Él puede apoyar fuertemente tu iniciativa de hacer ejercicio, o tener una buena razón para que la pospongas.

Preguntas sobre ejercicio y embarazo

¿Puedo alterar mi nivel de actividad física para ayudar a controlar mi aumento de peso?

Sí. Aumentar los bajos o disminuir los altos niveles de actividad física le ayuda a algunas mujeres a lograr las metas de aumento peso recomendadas. Sin embargo, el ejercicio intenso no se debe usar para perder peso. La pérdida de peso nunca es aconsejable durante el embarazo.

Si hago ejercicio durante el embarazo, ¿mi trabajo de parto será más corto?

No hay una respuesta clara a esta pregunta. Aunque el ejercicio durante el embarazo no parece estar relacionado con un trabajo de parto más largo, tampoco es evidente que disminuya la duración del mismo.

Hacía poco ejercicio antes de quedar embarazada. ¿Es bueno comenzar ahora que estoy embarazada?

Las antiguas advertencias sobre no comenzar un programa de ejercicios durante el embarazo eran indebidamente conservadoras. Las mujeres saludables se benefician de agregar actividad física a sus rutinas durante el embarazo. Si estás fuera de forma, empieza a hacer ejercicio lentamente, aumentando el tiempo que le dedicas a la actividad física a medida que tu estado físico mejora.

¿El no hacer ejercicio durante el embarazo causa algún daño?

Las mujeres que no hacen ejercicio durante el embarazo pueden experimentar más los dolores y molestias que acompañan este período y se pueden cansar más fácilmente que las mujeres que hacen ejercicio regularmente. También pueden perder los beneficios que el ejercicio trae, como por ejemplo un menor riesgo de depresión posparto y una gran sensación de bienestar.

Los ejercicios que solía hacer todo el tiempo son más difíciles ahora que estoy embarazada. ¿Eso es normal?

Sí, es normal. Muchas mujeres se cansan más de la actividad física especialmente durante los primeros meses de embarazo. El mayor volumen sanguíneo, el aumento de peso y el cambio del equilibrio, todos hacen que hacer ejercicio sea más difícil cuando se está embarazada.

Ayudas nutricionales
contra problemas comunes
en el embarazo

"Este embarazo ha estado lleno de sorpresas; estaba esperando un bebé y no malestar matutino, acidez, y calambres en las piernas que golpean como una descarga eléctrica a media noche".

—Queja común durante el embarazo

Es raro que una mujer termine el embarazo sin haber experimentado náusea, vómito, calambres en las piernas, estreñimiento, acidez, dolor de espalda u otros efectos secundarios comunes. También es raro que la ocurrencia de estos síntomas no la tomen por sorpresa. El propósito de este capítulo es ayudarte a evitar estas sorpresas y mostrarte maneras de aliviar el malestar que pueden causar.

En este capítulo se discuten seis condiciones del embarazo que se pueden manejar mediante la nutrición:

- Náusea y vómito.
- Estreñimiento.
- Acidez.
- Anemia por deficiencia de hierro.

- Diabetes gestacional.
- Preeclampsia.

Debido a que estas condiciones se pueden volver severas o pueden indicar la existencia de otros problemas, deben ser monitoreadas por tu médico y tratadas médicamente según se necesite.

Náusea y vómito

Por qué la náusea y la náusea con vómito ocurren durante la mayoría de los embarazos es uno de los grandes misterios de la obstetricia. La presencia de estos síntomas parece estar relacionada con cambios hormonales y generalmente indica que el embarazo está progresando bien. Bueno... Es decir, para el feto. La madre, por el contrario, se puede sentir miserable. La náusea o la náusea con vómito tienden a empezar entre 2-4 semanas después de la concepción y disminuyen gradualmente o terminan abruptamente en algún momento durante el tercer mes. Para el 10-30 por ciento de las mujeres, la náusea o la náusea con vómito duran todo el embarazo y sólo se curan con el parto. Aunque generalmente se conoce como *malestar matutino*, la causa del vómito no se restringe a las horas de la mañana.

La náusea y el vómito que son regulares y difíciles de parar y que causan pérdida de peso y deshidratación (indicada por fatiga, poca cantidad de orina y color amarillo oscuro de la misma) se conocen como *hyperemesis gravidarum*, o simplemente *hyperemesis*. Las mujeres que padecen esta forma de náusea y vómito severos requieren estricta supervisión médica. El objetivo de la ayuda médica profesional es detener la náusea y el vómito para remediar la deshidratación, y capacitar a la mujer para que retome su consumo alimenticio y su aumento de peso. Pero hay luz al final del túnel. Las mujeres con hyperemesis o casos menos severos de náusea y vómito que se mantienen bien hidratadas, tienen una dieta saludable y aumentan de peso de manera adecuada, con frecuencia, dan a luz bebés muy sanos.

Las mujeres que sufren de náusea y vómito o hyperemesis con frecuencia son bastante sensibles a ciertos olores y se marean si huelen el olor equivocado (el simple hecho de leer la asociación entre olores y náusea puede ser suficiente para disparar los botones de "mareo de algunas mujeres". Si ese es tu caso, sáltate el resto de este párrafo). Entre los olores que se conocen como causantes de náusea y vómito en algunas mujeres están el olor de café ya sea fresco o viejo, suplementos vitamínicos, limpiadores, perfumes, purificadores de ambiente en aerosol, humo de cigarrillo y cigarro, pañales sucios, basura y humo de gasolina y diesel. En general, un aire fresco y limpio en un ambiente sin olor resulta ser tranquilizante.

Los suplementos de hierro agravan las náuseas y el vómito en muchas mujeres. Generalmente, su uso debe ser interrumpido hasta que la mujer se sienta mejor más tarde en el embarazo, si es que ellos contribuyen a la náusea y al vómito

No se sabe cómo evitar la náusea y el vómito, pero hay algunas acciones que las mujeres pueden realizar para ayudar a reducir su frecuencia y severidad.

Come alimentos secos con frecuencia

Es más probable que la náusea y el vómito ocurran en un estómago vacío, así que los refrigerios frecuentes pueden ayudar. Los alimentos secos y altos en carbohidratos, tales como las galletas de soda, las wafer de vainilla, las tostadas secas, o los cereales secos se digieren fácilmente y permanecen en el estómago. Comer estos alimentos en pequeña cantidad antes de levantarte de la cama en la mañana puede ayudar a evitar el mareo y la sensación del estómago revuelto. Se ha descubierto otra amplia variedad de alimentos que ayudan a evitar la náusea y el vómito. Puesto que las mejores opciones son diferentes para cada mujer, tú eres quien mejor puede decidir qué alimentos toleras más fácilmente. Si por ejemplo las papas fritas, el huevo duro cocido, el yogur o las frutas enlatadas te suenan bien, intenta comerlas. Es mejor consumir los alimentos que puedes retener en el estómago que no comer suficiente para aumentar de peso.

Separa el consumo de sólidos y líquidos

Comer porciones pequeñas de alimentos o un refrigerio cada dos horas mientras estás despierta y tomar líquidos más o menos media hora después de los alimentos sólidos puede ayudar a prevenir la náusea y el vómito. Algunas bebidas son mejores para sentar el estómago que otras. Para algunas mujeres, la leche tibia con un poquito de azúcar o miel pasteurizada sabe bien, mientras que la limonada, el té helado, el agua, los jugos de fruta, el jugo V-8, el jugo de tomate, las bebidas hidratantes, el ginger ale, o las bebidas gaseosas con sabor a frutas funcionan mejor que para otras. En algunos casos, las bebidas a temperatura ambiente o las gaseosas se toleran fácilmente. Algunas mujeres prefieren los cubitos de hielo o las bebidas muy frías porque ayudan a que los alimentos se mantengan en el estómago. Debido a que la necesidad de agua aumenta cuando se tiene vómito, es necesario beber cantidades abundantes de bebidas que sean bien toleradas.

Mantente alejada de los olores y sabores que te producen mareo

Para seguir esta recomendación, puedes necesitar un poco de planeación y algo de ayuda. Tal vez tengas que comprar comida preempacada o pedirle a alguien que cocine, comprar la gasolina en una estación donde presten servicio completo (para que puedas evitar el olor de la gasolina), o dejar de consumir los alimentos que te producen náuseas.

Considera otros factores

Algunas mujeres descubren que la náusea se evita cepillándose los dientes poco después de despertarse. Cepillarte los dientes cuidadosamente puede ayudar a prevenirla. Además, la náusea y el vómito se pueden deber a causas distintas al embarazo. Puesto que la náusea puede indicar otro problema de salud, siempre es bueno que tu médico diagnostique la causa.

La náusea y el vómito persisten en algunas mujeres a pesar de sus mejores esfuerzos por controlarlos. Para ellas, existen medicamentos tales como piridoxina (vitamina B_6), doxilamina y algunas soluciones especiales altas en carbohidratos que se deben tomar bajo supervisión médica. En casos severos de náusea y vómito la hospitalización puede ser necesaria.

Estreñimiento

El estreñimiento se caracteriza por dolor abdominal, evacuación intestinal difícil y poco frecuente, y deposiciones duras. La preocupación, la ansiedad, un bajo nivel de actividad física y una dieta baja en fibra son causas comunes del estreñimiento. En unos pocos casos, el estreñimiento está relacionado con bloqueo intestinal, el uso excesivo de laxantes, o el uso de medicamentos que causan estreñimiento como efecto colateral. Se cree que el estreñimiento durante el embarazo se debe a ciertas hormonas que relajan los músculos intestinales y a la presión sobre los intestinos causada por el útero en expansión. Puede ocurrir en cualquier momento pero es más común al final del embarazo.

Hay varios enfoques para la prevención y tratamiento del estreñimiento:

Comer una dieta rica en fibra

El consumo de 25-30 gramos diarios de fibra proveniente de frutas y vegetales, cereales para el desayuno ricos en fibra, salvado, y suplementos de fibra en polvo tales como *psyllium* o *metil celulosa* puede ayudar a prevenir y aliviar el estreñimiento. La Tabla 2.3 contiene una lista de alimentos que son fuente de fibra. Es mejor revisar el valor de fibra de los alimentos en vez de asumir cuáles son ricos en ella. No todos los alimentos que se consideran ricos en fibra en realidad lo son. Puesto que un mayor consumo de fibra aumenta los requerimientos de agua, tienes que asegurarte de beber más líquidos. Sabrás que estás consumiendo suficiente fibra y suficientes líquidos cuando tus deposiciones sean largas y suaves. Demasiada fibra puede producir diarrea. Las ciruelas, el jugo de ciruela y los higos también ayudan a aliviar el estreñimiento. Aunque no son particularmente ricos en fibra, las ciruelas y los higos contienen otras sustancias que aceleran la eliminación.

Beber entre once y doce vasos de líquido al día

La combinación de fibra y líquidos es lo que promueve la eliminación y ambos son necesarios. Las mujeres que sudan mucho o que están expuestas a climas cálidos y húmedos pueden necesitar más de doce vasos de líquido al día.

Hacer ejercicio

La inactividad promueve el estreñimiento. Caminar, nadar o hacer otro ejercicio moderado ayuda a mover los intestinos.

Reducir los suplementos de hierro

Los suplementos de hierro causan estreñimiento en algunas mujeres, especialmente si la dosis es alta (más de 30-45 mg por día). El estreñimiento generalmente mejora si se reduce la cantidad de suplemento de hierro que se está tomando o si las dosis en cada toma son más pequeñas.

Los laxantes en pastillas no son aconsejables para el tratamiento del estreñimiento durante el embarazo, porque pueden generar contracciones uterinas. El aceite mineral tampoco es aconsejable puesto que reduce sustancialmente la absorción de nutrientes.

Acidez

La *acidez*, o "indigestión ácida", ocurre cuando los líquidos ácidos del estómago suben al esófago. Aunque los jugos gástricos sólo deberían bajar por el tracto digestivo, se pueden devolver si hay una presión fuerte en el estómago o si la válvula que cierra la parte superior del mismo se vuelve laxa. Estos dos factores parecen jugar un papel en el desarrollo de la acidez durante el embarazo. Más del 50 por ciento de las mujeres experimentan acidez, especialmente al final del embarazo, cuando el feto ejerce una fuerte presión hacia arriba en el estómago. No obstante, la acidez puede ocurrir en cualquier momento del embarazo.

Los síntomas de la acidez se pueden aliviar adoptando una o más de las siguientes medidas:

Consumir comidas pequeñas y refrigerios
La presión sobre el estómago es mayor cuando está lleno.

Dejar que transcurran tres horas después de comer antes de acostarse
Acostarse con el estómago lleno aumenta la probabilidad de que los jugos gástricos ácidos se escapen y vayan al esófago. El estómago generalmente se desocupa tres horas después de una comida.

Reducir el uso de suplementos de hierro
Si los suplementos de hierro te producen acidez, probablemente la dosis de hierro es demasiado alta. Si necesitas hierro, toma una dosis menor a la hora de acostarte con jugo de naranja o de toronja.

Ubica tu cuerpo en una posición que reduzca la acidez
Doblar el cuerpo hacia delante puede empeorar la acidez, así que trata de evitarlo. Dormir con la cabeza elevada puede ayudar a reducir la acidez.

Usar medicamentos para la acidez, si es necesario
Tu médico te puede recomendar algún antiácido (como *Tums*) que actúa en el estómago, en lugar de pastillas para la acidez.

Anemia por deficiencia de hierro

La anemia ferropénica (o anemia por deficiencia de hierro) es bastante común en el embarazo y está asociada con parto prematuro, nacimiento de bebés pequeños y depresión posparto. En las mujeres, la deficiencia de hierro generalmente reduce el apetito, el consumo alimenticio, la alerta mental y la productividad. Puede causar irritabilidad y fatiga, lo mismo que una mayor susceptibilidad a las infecciones. La anemia ferropénica es especialmente común entre las mujeres que la han sufrido previamente, las que donan sangre regularmente, las que habitualmente consumen una dieta baja en hierro, las que han tenido una cesárea previa, o las que comienzan el embarazo con bajas reservas de hierro.

Usualmente se diagnostica anemia por deficiencia de hierro cuando los niveles de hemoglobina en la sangre en el primer trimestre son inferiores a 11g/dl, menos de 10.5 g/dl en el segundo trimestre, o menos de 11 g/dl en el tercer trimestre. Este tipo de anemia también se diagnostica cuando los niveles de ferritina (una medida de las reservas de hierro) son de 15 ng/ml o menos. Los niveles ideales de hemoglobina están entre 10.5 y 13.2 g/dl en el segundo y tercer trimestre de embarazo. Los niveles de hemoglobina normalmente descienden en el embarazo debido a un incremento en el volumen sanguíneo. En las mujeres que no sufren deficiencia de hierro, los niveles de hemoglobina no aumentan con los suplementos de hierro.

Entre los médicos de Estados Unidos existe la tendencia a formular dosis de hierro que son demasiado altas y causan efectos colaterales. Las mujeres que tienen buenas reservas de hierro no absorben tanta cantidad de este mineral de los suplementos como lo hacen las mujeres que sí lo necesitan. El hierro que no se absorbe puede producir náuseas, acidez, gases, calambres, diarrea y estreñimiento. Las deposiciones que se producen cuando se consume demasiado hierro generalmente son oscuras, densas y tienen olor a alquitrán.

En lugar de tomar niveles excesivos de hierro y soportar los efectos colaterales, aproximadamente un tercio de las mujeres embarazadas dejan de tomar sus pastillas de hierro. Es muy frecuente que las pastillas sobrantes sean puestas en un gabinete de medicinas y que luego los bebés curiosos las encuentren allí. La sobredosis de hierro es la causa principal de muertes por envenenamiento entre niños pequeños en Estados Unidos. El uso de cantidades excesivamente altas de hierro en suplementos puede conducir a otro problema: las mujeres pueden no tomarlas aún si las necesitan y por lo tanto pueden desarrollar deficiencia ferropénica más tarde o en el siguiente embarazo. ¡Sería mucho mejor si se prescribiera la cantidad adecuada de hierro, en primer lugar! Sobrecargar de hierro a las mujeres durante el embarazo es una práctica anticuada que está cambiando muy lentamente.

En Estados Unidos está surgiendo una nueva escuela de pensamiento acerca del uso de suplementos de hierro para todas las mujeres embarazadas, y esta idea se está implementando en la mayor parte de Europa. Los científicos están pidiendo que se reevalúe la práctica de suministrar hierro a todas las mujeres embarazadas. Los suplementos de hierro deberían prescribirse según las necesidades individuales de hierro. Las mujeres que tienen una buena cantidad de hierro almacenado y que lo consumen en su dieta junto con alimentos ricos en vitamina C no necesitan suplementos de hierro.

Diabetes gestacional

La diabetes gestacional se presenta entre el 3 – 7 por ciento de las mujeres embarazadas, y la incidencia está aumentando junto con la obesidad. Es una forma de diabetes tipo dos y se define como una intolerancia a los carbohidratos que se diagnostica por primera vez durante el embarazo. La diabetes gestacional usualmente se diagnostica cuando se detectan altos niveles de glucosa en la sangre al practicar exámenes de rutina. Debido a que los altos niveles de glucosa en la sangre en el embarazo impiden el crecimiento del feto y ponen en riesgo su supervivencia, las mujeres embarazadas en muchos países son sometidas a una prueba para detectar esta condición entre las 24-28 semanas de embarazo. Si esta prueba resulta positiva, se hace otra de tolerancia oral de glucosa de tres horas. Si se encuentra que los niveles de glucosa en la sangre son altos, se diagnostica diabetes gestacional.

Algunas mujeres corren más riesgo de desarrollar este tipo de diabetes que otras. Las mujeres que son pesadas, que tienen antecedentes familiares de diabetes tipo 2, que tienen más de 35 años, o que han dado a luz bebés muy grandes (más de 10 libras) corren mayor riesgo. Las mujeres que exhiben uno o más de estos factores de riesgo generalmente son sometidas a una prueba de diabetes gestacional antes de las 24 semanas de embarazo.

La diabetes gestacional se puede manejar en muchas mujeres mediante dieta y ejercicio. Se adicionan inyecciones de insulina u otros medicamentos si no se logra el control de los niveles de glucosa en la sangre dentro de las dos semanas posteriores al diagnóstico. Los niveles muy altos de glucosa en la sangre pueden ser tratados inmediatamente con insulina.

El objetivo primordial del tratamiento de la diabetes gestacional es permitir que la madre dé a luz un bebé saludable. Es muy probable que esto se logre si los niveles de glucosa en la sangre permanecen dentro del rango normal durante el embarazo.

La resistencia a la insulina (una condición caracterizada por altos niveles de insulina en la sangre y una transferencia reducida de glucosa a las células dentro del cuerpo) parece jugar un papel importante en el desarrollo de la diabetes gestacional. En las mujeres que presentan resistencia a la insulina, los cambios fisiológicos normales del embarazo eventualmente pueden llevar a niveles elevados de glucosa en la sangre. Estos altos niveles aumentan los depósitos de grasa del feto e interfieren con su desarrollo normal.

Después del parto, la resistencia a la insulina disminuye y los niveles de glucosa en la sangre vuelven a la normalidad. Sin embargo, estos cambios beneficiosos con frecuencia son temporales. Cerca de la mitad de las mujeres que sufren diabetes gestacional desarrollan diabetes tipo 2 cinco años después del embarazo.

Prevención y tratamiento de la diabetes gestacional

Eliminar el peso adicional antes del embarazo, no aumentar de peso excesivamente, hacer actividad física regularmente, y mantener una dieta saludable pueden reducir sustancialmente el riesgo de desarrollar diabetes gestacional o puede retrasar su inicio. Mantener un peso corporal normal, con suficiente ejercicio y una dieta sana, claramente disminuye el riesgo de desarrollar diabetes tipo 2 después de que se ha presentado una diabetes gestacional.

El manejo de la diabetes gestacional generalmente implica consumir una dieta prescrita, monitorear el consumo alimenticio, los niveles de glucosa en la sangre y el peso, hacer ejercicio; y (si es necesario) aplicarse inyecciones de insulina. Las mujeres que sufren de diabetes gestacional con frecuencia asisten a clases donde reciben instrucción sobre cómo manejar la enfermedad, y muchos médicos organizan grupos de apoyo para estas personas.

La dieta es el elemento clave en el tratamiento de la diabetes gestacional, ya sea que las mujeres usen insulina o no. Para lograr un control de los niveles de glucosa en la sangre, se deben diseñar dietas individuales (preferiblemente por un dietista registrado con experiencia en diabetes gestacional) con base en el nivel de glucosa de la mujer, su peso, sus hábitos de ejercicio y sus preferencias alimenticias. Debido a que la proteína y la grasa en los alimentos aumenta los niveles de glucosa en la sangre menos que los carbohidratos, las dietas que se prescriben para mujeres con diabetes gestacional son relativamente altas en proteína (20-30 por ciento de calorías), moderadas en grasa (30-35 por ciento de calorías), y un poco bajas en carbohidratos (40 por ciento de calorías). El número de calorías prescrito y la cantidad de proteína, grasa y carbohidratos en la dieta, con frecuencia, se modifican durante el curso del embarazo, dependiendo del control de glucosa y del aumento de peso. A algunas mujeres les formulan suplementos de cromo para ayudar a reducir la resistencia a la insulina.

Debido a que las dietas para mujeres con diabetes gestacional tienen que ser individualizadas pues es necesario monitorear la respuesta de la glucosa en la sangre, no hay ninguna prescripción de dieta que se ajuste a todas las mujeres que sufren este desorden. No obstante, las dietas recomendadas tienen en común varias características:

El consumo de calorías se establece a un nivel que favorezca el aumento adecuado de peso

Las metas de aumento de peso para las mujeres con diabetes gestacional son las mismas que para aquellas que no sufren de esta enfermedad. Puesto que tanto la pérdida de peso como el aumento excesivo del mismo pueden interferir con el crecimiento, el desarrollo y la salud del feto y pueden dificultar el control de glucosa en la sangre, el aumento de peso de las mujeres con diabetes gestacional debe mantenerse dentro del rango recomendado.

La dieta proporciona todos los nutrientes necesarios para el embarazo

Las dietas prescritas para mujeres con diabetes gestacional contienen una sana variedad de alimentos. No se necesitan alimentos especiales, pero se debe restringir el consumo de dulces. Los edulcorantes artificiales no suben los niveles de glucosa en la sangre y se pueden usar con tranquilidad.

El consumo de alimentos se divide en tres comidas y 1-3 refrigerios

Las comidas y los refrigerios regulares planeados con anticipación son un elemento clave en el control de la glucosa. Puesto que los carbohidratos que se encuentran en los alimentos son los que más suben los niveles de glucosa en la sangre, el consumo de alimentos ricos en carbohidratos se reparte entre todas las comidas y refrigerios de un día. El desayuno generalmente es la comida que contiene menos carbohidratos. Las mujeres con diabetes gestacional pueden aprender a "contar carbohidratos" para ayudarse a planear su consumo de los mismos durante el día. También se les puede motivar a consumir alimentos con carbohidratos que tengan un bajo índice glicémico. Estos alimentos suben los niveles de glucosa en la sangre menos que aquellos que contienen un alto índice glicémico. En la Tabla 2.1 aparece el índice glicémico de los alimentos que contienen carbohidratos.

La dieta contiene suficiente fibra (25-35 gramos por día)

Las dietas ricas en fibra ayudan a bajar los niveles de glucosa en la sangre y a controlar el hambre mejor que las dietas con poca fibra (en la Tabla 2.3 aparece una lista de alimentos ricos en fibra).

Si se requiere insulina, las prescripciones de dieta deben ajustarse para compensar los niveles de glucosa inferiores que resultan de la insulina. Para mantener la glucosa en niveles normales, es importante mantener la dieta prescrita cuando se usa insulina. Es probable que en el futuro cercano se apruebe el uso de medicamentos orales para reducir los niveles de glucosa en la sangre durante el embarazo.

El ejercicio: un componente importante en el manejo de la diabetes gestacional

El ejercicio disminuye la resistencia a la insulina, mejora los niveles de lípidos en la sangre y baja los niveles de glucosa. Caminar, nadar, hacer danza aeróbica, montar en bicicleta y hacer ejercicios de resistencia son algunas de las opciones de actividades de intensidad moderada que se recomiendan. Generalmente se aconseja a las mujeres hacer ejercicio durante 30 minutos cuatro veces o más por semana. En el capítulo 7 se da información adicional sobre el ejercicio durante el embarazo.

La doctora Lois Jovanovic-Peterson, experta en diabetes gestacional de fama internacional, da este consejo específico sobre el papel del ejercicio en la vida de las mujeres inactivas: hacer ejercicio en casa mientras miran las noticias. Busque en la alacena dos tarros grandes de salsa de tomate, consiga una silla resistente con un espaldar firme y siéntese. Levante cada tarro por encima de la cabeza con una mano cinco veces y luego levante ambos tarros al mismo tiempo cinco veces. Continúe haciendo esta rutina durante 20 minutos o hasta que comience la sección de deportes del noticiero. (¡Tenga cuidado de no dejar caer los tarros cuando los tenga sobre la cabeza!). Si después de 20 minutos no eres capaz de cantar con una sola inhalación "Los pollitos dicen pío, pío, pío", acabas de hacer una tanda de ejercicios cardiovasculares. Si puedes cantar la canción, puedes aumentar el peso que levantas a medida que pasa el tiempo.

Preeclampsia

La preeclampsia es una condición única del embarazo y de las primeras 24 horas después del parto. Ocurre aproximadamente en el 7 por ciento de los embarazos primerizos y se caracteriza por alta presión arterial y proteína en la orina. Su causa se desconoce, pero se cree que está relacionada con resistencia a la insulina, obesidad, desórdenes renales o desbalances químicos. Aunque se empieza a desarrollar muy temprano en el embarazo, la preeclampsia generalmente sólo se diagnostica en el tercer trimestre. Las señales de este desorden son hipertensión, nivel elevado de hemoglobina, incremento en el contenido de proteína en la orina, náusea, dolor de estómago, dolor de cabeza y visión borrosa. Aunque es difícil predecir quién va a desarrollar preeclampsia, las madres primerizas y las mujeres con bajo peso, mal alimentadas o muy pesadas corren un alto riesgo.

No hay cura para la preeclampsia. Sin embargo, las mujeres a quienes se les diagnostica pueden tomar medicamentos para reducir la presión arterial. Para todas las mujeres que sufren este desorden se recomiendan dietas saludables. La dieta debe ser rica en verduras, frutas y productos integrales. Los alimentos que contienen carbohidratos deben ser de la variedad con bajo índice glicémico. Algunos médicos formulan 1.5 a 2.0 g de calcio por día. Los suplementos de calcio pueden reducir efectivamente la presión arterial y parecen tener pocos efectos colaterales. También se puede tomar vitamina C y vitamina E para ayudar a prevenir algunas de las consecuencias negativas de la preeclampsia. Este desorden no se debe tratar restringiendo el aumento de peso ni el consumo de calorías, líquidos o sal (sodio). Estas restricciones no funcionan y pueden ser perjudiciales tanto para la madre como para el feto.

9

Nutrición después del embarazo: alimentación del bebé

"El alimento es el primer placer de la vida".

—Lin Yutang, escritor

Piensa que este capítulo es una especial de manual sobre alimentación para bebés (el manual de operaciones sobre lactancia viene después, en el capítulo 10). Hay mucho por decir sobre la alimentación para bebés, pero con un bebé en camino o ya presente en tu vida, probablemente, tengas muy poco tiempo para leer. Por lo tanto, este capítulo se centra en hechos. Incluye una serie de tablas y listas de consulta rápida y destaca la información que te ayudará a tomar la decisión correcta sobre la alimentación de tu bebé. Al final del capítulo encontrarás la respuesta a preguntas comunes sobre nutrición infantil.

Cosas que conviene saber sobre la alimentación de los bebés

Todos los recién nacidos, bien sea los que se alimentan de leche materna o de biberón, tienen la misma necesidad de nutrientes, una necesidad que es mayor en ese momento de la vida del niño que en ningún otro. Pero satisfacer esta necesidad requiere una dieta muy sencilla. Los bebés dependen de un solo alimento, la leche materna o la fórmula para bebés, durante los primeros cuatro a seis meses de vida. La necesidad de nutrientes resulta del rápido crecimiento y desarrollo del bebé (ver Tabla 9.1).

Durante los dos primeros meses de vida, el bebé aumenta alrededor de una onza por día o un poco menos de una libra cada dos semanas. Si el crecimiento sigue su curso normal, el peso del bebé al momento de nacer se triplicará y su longitud aumentará en un 50 por ciento antes de que el niño termine su primer año de vida. Ésta es una taza de crecimiento enorme. Si ese ritmo se mantuviera, ¡un niño de cinco años pesaría casi una tonelada y su altura sería de más de cuatro metros!

Cuanto quiera comer un bebé depende de su ritmo de crecimiento. Los bebés crecen por lapsos en lugar de a un ritmo gradual y constante. Su apetito aumenta notablemente justo antes de una racha de crecimiento. La mayoría de los bebés tienen un período de precrecimiento muy común entre los 14 y los 28 días después de nacer. Así que no te sorprendas si tu bebé parece querer estar comiendo todo el tiempo durante esas dos semanas.

Puesto que los bebés ajustan su apetito de manera natural al nivel necesario para crecer, debes darle de comer a tu recién nacido siempre que tenga hambre. Alimentarlo "por reloj" puede causar una alimentación excesiva o insuficiente. Espera a que tu bebé tenga nueve meses o más para ajustar sus comidas al horario de tu familia. A los nueve meses, la mayoría de los bebés se pueden adaptar a comer con el resto de la familia. No obstante, necesitarán refrigerios cuando sientan hambre.

Debido a que los bebés tienen gran necesidad de nutrientes, y un estómago pequeño, sienten hambre con frecuencia. Durante las pri-

TABLA 9.1   CARACTERÍSTICAS DEL CRECIMINTO Y DESARROLLO DEL BEBÉ DESDE SU NACIMIENTO HASTA SU PRIMER AÑO DE VIDA

Edad	Características
Primeros días de vida	Generalmente pesa entre 7 y 9 libras, mide entre 48 y 54 cm. La cabeza es relativamente grande y tiene un área suave en la parte superior. Se asusta y estornuda fácilmente. Puede sufrir de hipo y vómito repentino.
Un mes	Ha recobrado el peso perdido después de nacer y más. Levanta ligeramente la cabeza cuando se coloca boca abajo. Mueve todo el cuerpo cuando se le toca o alza.
Cuatro meses	Su peso es casi el doble. Ha crecido entre 7 y 10 cm. Sigue objetos con la mirada. Trata de coger objetos con las dos manos. Juega con los dedos. Se mete los dedos y los objetos a la boca. Mantiene la cabeza erguida, aunque requiere apoyo en la espalda. Intenta darse la vuelta. De noche duerme entre 6 y 7 horas.
Ocho meses	Los aumentos de peso y longitud son más lentos; su apetito ha disminuido. Se voltea, se para con ayuda, se sienta, se mueve por el piso. Busca, agarra y examina objetos con las manos, los ojos y la boca. Tiene uno o dos dientes. Duerme dos siestas en el día. Pierde un poco de "grasa de bebé" a medida que aumenta su actividad.
Doce meses	Por lo general ha triplicado su peso al nacer y su longitud en un 50 por ciento. Agarra y suelta objetos con los dedos. Sostiene la cuchara pero la usa torpemente.

meras semanas, probablemente tu bebé querrá comer cada dos o tres horas, o entre ocho y doce veces al día. Cada vez que coma, tomará unas dos o tres onzas de leche materna o de fórmula. Para el segundo mes, el intervalo entre sus demandas de comida se puede alargar entre tres y cuatro horas. A los nueve meses, la mayoría de los bebés necesitan comer sólo cinco a siete veces al día. En la Tabla 9.2 se resumen éstas y otras consideraciones sobre la alimentación del bebé.

Después de alimentar al bebé, es necesario sacarle los gases. Los bebés tragan aire junto con la leche materna o la fórmula. Después de comer, unas suaves palmaditas en la espalda les producen gran alivio y bienestar.

Cómo reconocer a un bebé hambriento

Reconocer cuándo un bebé tiene hambre puede ser difícil ya que los niños lloran y se ponen fastidiosos por muchas razones. Sin embargo, los bebés hambrientos comen con entusiasmo. El resto del mundo no existe para ellos cuando están comiendo. Un bebé con hambre empieza a comer con los puños cerrados, succiona con ganas y se tranquiliza tan pronto empieza a comer. Un bebé que quiere algo distinto a comer succiona el chupo o el pezón sin ganas y se distrae fácilmente.

También es importante reconocer cuándo un bebé ha comido lo suficiente. Acepta la decisión del bebé de no querer comer más. No lo fuerces a comer más, o a terminar la última onza del biberón, o a comer los últimos restos de comida que quedan en el plato. Los bebés saludables comen cuando tienen hambre y dejan de hacerlo cuando están llenos.

Recomendaciones sobre la alimentación del bebé

Las recomendaciones sobre cómo alimentar a los bebés están basadas primordialmente en las necesidades que ellos tienen de energía y nutrientes, su nivel de desarrollo para aceptar alimentos sólidos y la

TABLA 9.2   ASPECTOS DEL DESARROLLO RELACIONADOS CON LA NUTRICIÓN DEL BEBÉ

Edad	Habilidades
Recién nacido	El "reflejo de búsqueda" está presente (encuentra el pezón si se coloca cerca del pecho materno); succiona y traga líquidos; "reflejo de mordaza" (muerde instintivamente si se le coloca un alimento sólido en la parte posterior de la lengua); come cada dos o tres horas.
Dos meses	Puede empezar a dormir más tiempo durante la noche; necesita menos alimentación nocturna.
Tres meses	El reflejo de mordaza se relaja; maduran las enzimas necesarias para digerir alimentos sólidos; el riñón y el tracto intestinal maduran (el bebé se está preparando para comer alimentos sólidos).
Cuatro meses	Es capaz de tragar alimentos no líquidos; come entre 7 y 8 veces al día; puede agarrar objetos entre la palma de la mano y los dedos.
Cinco meses	Se lleva cosas a la boca con las manos; puede formar un bolo alimenticio (bola de comida), moverlo de adelante hacia atrás en la boca y tragarlo.
Seis meses	Empieza a desarrollar la habilidad de masticar.
Siete meses	Puede agarrar la comida con los dedos; es capaz de masticar y tragar alimentos grumosos y tipo *finger food*[1]; succiona de un vaso; puede alzar un vaso o taza pero no puede colocarlo sobre una superficie; toma su biberón con las manos.
Ocho meses	Es capaz de tomar su biberón sin ayuda (puede voltearlo si es necesario).
Nueve a doce meses	Su habilidad para masticar y tragar mejora constantemente; puede tomar mejor la cuchara y el vaso o taza; come entre cinco y siete veces al día.

1   N del T.: *Finger foods* son alimentos que se comen con la mano, sin cubiertos.

prevención de alergias. Estas recomendaciones también incluyen un gran componente educativo. Muchas de las lecciones que los bebés aprenden sobre la comida y el comer lo marcan para toda la vida. Los hábitos y preferencias alimenticias posteriores, el apetito y la regulación del consumo de alimentos están todos influenciados por las primeras experiencias de aprendizaje. Las siguientes pautas ofrecen un plan para enseñar a tu bebé las lecciones correctas sobre la comida y el comer.

- Los bebés aprenden a comer distintos alimentos saludables cuando se les ofrece una variedad de opciones sanas. No hay mecanismos innatos que los lleven a seleccionar una dieta nutritiva.
- A los bebés se les debe permitir comer cuando tienen hambre y dejar de hacerlo cuando están llenos. Son los bebés, y no sus padres, quienes saben cuándo están hambrientos o cuándo han comido suficiente.
- Se debe alimentar al bebé en un ambiente agradable, con la atención positiva de un adulto.
- La comida no debe usarse como recompensa, como castigo, ni como entretención.
- Ni los bebés ni los niños deben ser obligados a comer nada.
- Las preferencias alimenticias cambian a lo largo de la infancia. El hecho de que un bebé rechace un alimento en un momento determinado no significa que no lo vaya a aceptar posteriormente. Dar al bebé un alimento en repetidas ocasiones generalmente mejora su aceptación del mismo. Sin embargo, es posible que no le gusten las verduras de sabor fuerte sino hasta cuando esté un poco más grande.

Alimentación del bebé durante los primeros seis meses

La Tabla 9.3 muestra un plan de incorporación de alimentos en la dieta de los bebés según la edad.

TABLA 9.3   RECOMENDACIONES SOBRE LA ALIMENTACIÓN DEL BEBÉ

Edad	Recomendaciones de alimentación
Desde el nacimiento hasta los cuatro o seis meses	Únicamente leche materna o fórmula para bebé fortificada con hierro. Continuar con leche materna o fórmula hasta el primer año. Los bebés alimentados con leche materna con insuficiente exposición al sol deben consumir un suplemento de vitamina D (200 IU al día).
Cuatro a seis meses	Introducir cereales no alergénicos, como cereal de arroz en papilla, frutas y verduras puras. Luego adicionar carne pulverizada. Usar cereal fortificado con hierro si el bebé toma leche materna. Empezar con porciones pequeñas (1 a 2 cucharaditas) e ir aumentando la cantidad (2 a 3 cucharadas) hasta llegar a tres comidas al día durante seis meses.
Seis a nueve meses	Usar alimentos suaves que tengan alguna textura (por ejemplo, purés, cremas y alimentos grumosos). Los bebés amamantados y los alimentados con fórmula no diluida en agua fluorizada deben consumir un suplemento de fluoruro (0.25 mg de fluoruro por día). Dar alimentos tipo finger food aproximadamente a los siete meses (ver Tabla 9.4).
Nueve a doce meses	Ofrecerle al bebé una variedad de alimentos en puré o finamente picados de los que se consumen normalmente en casa a la hora de las comidas.
Un año	Se pueden introducir huevos y productos lácteos enteros después de los doce meses; la leche baja en grasa sólo se debe usar después de los dos años o más.

A los bebés se les debe dar leche materna o leche de fórmula fortificada con hierro durante los primeros 12 meses de vida, y los alimentos semisólidos deben comenzar entre los 4 y los 6 meses. Primero hay que incorporar en la dieta alimentos no alergénicos fáciles de digerir, tales como cereal de arroz, frutas y verduras en papilla. Los alimentos que con mayor probabilidad puedan causar alergia u otras reacciones adversas deben posponerse hasta que el bebé tenga al menos seis meses. Los bebés con antecedentes familiares de alergias causadas por alimentos, sin embargo, se pueden beneficiar si estos alimentos se incorporan en la dieta sólo después del primer año. La leche de vaca, la leche de soya, los productos de trigo, las nueces (incluyendo la mantequilla de maní), los huevos y los mariscos generalmente producen alergia. Las reacciones de intolerancia a la comida, como brote en la piel o diarrea, pueden estar asociadas con la incorporación muy temprana en la dieta de maíz, jugo de ciruela, jugo de naranja, jugo de tomate, chocolate y fresas. Hay otra gama de alimentos que también pueden causar reacciones de intolerancia. Consulta con tu médico si crees que tu bebé es sensible a ciertos alimentos y si te preocupa que puedan surgir problemas de salud.

¿Los alimentos sólidos ayudan a que el bebé duerma más?

Alguna vez se pensó que se debía dar alimentos sólidos a los bebés durante los dos primeros meses de vida. Aunque los bebés de esa edad son incapaces de tragar muchos de los alimentos que se les ofrecen (la mayoría de ellos terminan en la cara del bebé o en el babero), o de digerir completamente lo que tragan, se creía que los alimentos sólidos llenaban al bebé y lo ayudaban a dormir toda la noche. Eso no se logra dándole alimentos sólidos al bebé antes de los cuatro meses. Los bebés que comen alimentos sólidos a una edad temprana no tienen más probabilidades de dormir toda la noche que aquellos que comienzan a los cuatro o seis meses. La edad a la cual un bebé comienza a dormir durante seis o más horas durante la noche depende de otros factores, entre los que están el nivel de desarrollo del bebé y qué tanto haya dormido durante el día. Probablemente ni el bebé ni los padres podrán tener un buen descanso nocturno durante al menos cuatro meses.

Alimentación del bebé en los segundos seis meses de vida

Para cuando el bebé tiene 6 meses, está listo para masticar o para mascar y tragar alimentos con un poco de textura. Ofrecerle al bebé en este momento alimentos con textura ayuda a que aprenda a masticar y a tragar y parece que fomenta el desarrollo del habla. Los alimentos deben tener la consistencia de una sopa espesa y contener pedazos irregulares de alimentos suaves. Aunque puedes comprar los alimentos con la consistencia correcta, también puedes prepararlos en casa, utilizando un molino o un procesador de alimentos.

Preparación en casa de alimentos para el bebé

Para preparar comida para el bebé, todo lo que necesitas es una licuadora o un molino y un colador. Asegúrate de limpiar todos los utensilios, los aparatos y la superficie donde los prepares antes de comenzar, también lávate las manos con agua y jabón.

Usa alimentos básicos que no contengan azúcar agregada, sal, especies, margarina, mantequilla ni otros aditivos. Después de que el bebé tenga seis meses, prepara los alimentos un poco grumosos, pero todavía suaves.

Frutas

Usa frutas limpias y maduras. Remueve la cáscara, las semillas y el centro (o usa frutas enlatadas). Utiliza una licuadora o un molino para hacerlas puré (cocina primero las frutas duras, como las manzanas). Si la fruta es suficientemente suave, puedes triturarla. Algunos ejemplos son: bananas en puré; salsa de manzana; albaricoque, peras y duraznos en puré.

Verduras

Limpia muy bien las verduras. Retira los tallos y cualquier cáscara dura o semilla. Hiérvelos o cocínalos al vapor hasta que estén suaves. Hazlas puré y sírvelas tibias. Algunas posibles verduras son arveja verde, calabaza, zanahorias y papa, todas en puré.

Carnes

Asegúrate de cocinar la carne suficientemente. Retira toda la grasa, piel y cartílago. Licúa o muele la carne con suficiente agua para hacer un puré (media taza de agua para una taza de carne cocida). Puedes intentar carnes como cerdo, pollo, pescado, res, cordero o pavo.

Jugos

Usa jugos congelados o en botella, de manzana, arándano y toronja. Prepara los jugos congelados según las instrucciones del empaque. Cuela el jugo si es necesario. Evita las "bebidas de frutas".

Congela cualquier porción sobrante en una cubeta bien cerrada u otro recipiente hermético, o guárdala bien cerrada en el refrigerador por no más de tres días. Una vez sacados del refrigerador no los vuelvas a congelar.

Asegúrate de desechar cualquier sobra del plato del bebé. Cuando la cuchara que se utiliza para alimentar al niño entra en contacto con la comida, se introducen bacterias que pueden hacer que la comida se dañe mientras está guardada.

Los alimentos que el bebé puede comer con la mano (*finger foods*) se deben incorporar a la dieta cuando el bebé tiene más o menos siete meses. Estos alimentos deben ser fáciles de agarrar, no deben requerir mucha masticación, y los pedazos deben ser suficientemente pequeños como para que sean fáciles de tragar. En la Tabla 9.4 se da una lista de buenas y malas opciones de alimentos que el bebé puede comer con la mano

A los nueve meses, los bebés están listos para comer alimentos en puré o finamente picados. Se ajustan a los alimentos tipo adulto hacia el final del primer año de vida. Aunque la mayoría de los alimentos

TABLA 9.4   BUENAS Y MALAS OPCIONES DE ALIMENTOS QUE EL BEBÉ PUEDE COMER CON LA MANO

Buenas opciones	Malas opciones
Pedazos de galleta de soda	Uvas pasas
Tostada Melba (bizcocho Canale)	Semillas
Pedazos de fruta blanda	Dulces duros o pequeños
Cheerios (pasabocas de maíz)	Perro caliente o pedazos de salchicha
Pedazos suaves de verdura	Maíz pira, granola
Pedazos de macarrón blando	Uvas, arándano
Pedazos pequeños de queso suave	Nueces, mantequilla de maní
	Verduras crudas
	Frutas duras
	Maíz
	Galletas
	Gomas, dulces con textura de goma

deben estar en forma de puré o cortados en trozos pequeños, los bebés de un año están en capacidad de comer los mismos tipos de alimentos que el resto de la familia. Pueden beber de un vaso y casi logran alimentarse por sí mismos con una cuchara. ¡Los bebés avanzan mucho en doce meses!

¿Los bebés necesitan suplementos vitamínicos o minerales?

Hay dos situaciones que requieren el uso de suplementos durante la infancia. Los bebés que toman leche materna y los que se alimentan de fórmula a partir de un concentrado no diluido con agua fluorizada necesitan suplementos de fluoruro después de los seis meses de vida. Puesto que la leche materna contiene una baja cantidad de vitamina D, los bebés que se alimentan de ella y no están expuestos regularmente a la luz solar deben recibir 5 µg (200 UI) de vitamina D como suplemento diario. Los bebés expuestos al sol por un tiempo total de 30 minutos por semana, en pañales solamente, o dos horas por semana si sólo se expone su cabecita, producen suficiente vitamina D en la piel. Hay que tener cuidado de no sobreexponer al bebé a la luz solar. Los períodos se exposición directa al sol sin filtro solar deben ser breves: 10 minutos o menos cada vez.

Preguntas sobre la alimentación del bebé

¿Cuál es la mejor leche de fórmula que le puedo dar a mi bebé?

Se recomiendan las fórmulas a base de leche de vaca que hay en el mercado; todas las marcas tienen una composición similar. De hecho, hay estándares mínimos para la composición de fórmulas a los cuales se deben ceñir los fabricantes. Es mejor usar una fórmula fortificada con hierro. Los bebés necesitan el hierro adicional para construir sus propias reservas. Algunas fórmulas vienen fortificadas con los ácidos grasos omega-3 DHA y ácido alfalinolénico. La inclusión de estos ácidos grasos en las fórmulas parece beneficiar la visión infantil y el desarrollo intelectual.

¿Es el biberón tan bueno como la leche materna?

La leche materna es la opción número uno para la alimentación del bebé. Sin embargo, no es la mejor para las mujeres que no quieren amamantar. Las fórmulas son una buena alternativa para las mujeres que se sienten forzadas a lactar o que por otras razones no pueden hacerlo exitosamente. Aunque la leche materna tiene sus beneficios, estos no aplican si la madre no está en buena disposición para alimentar a su bebé y si la lactancia continúa aunque no esté funcionando bien.

¿Debo calentar la leche antes de dársela al bebé?

La mayoría de los bebés no tienen una preferencia por la temperatura. Podrías quitarle el frío a un biberón con leche de fórmula, sumergiéndolo en agua tibia. Es preferible darle al bebé leche fría que demasiado caliente. Calentar la leche en el microondas podría calentarla demasiado y no es aconsejable.

¿Está bien acostar al bebé con un biberón por la noche?

El líquido que gotea en la boca del bebé después de que se ha quedado dormido promueve el daño de los dientes e infecciones del oído. Por lo tanto, un bebé no debe acostarse con biberón.

¿Está bien motivar al bebé a que se tome las últimas onzas de leche del biberón?

No. Debes dejar de alimentar al bebé cuando éste haya perdido el interés en comer. Si se les deja decidir por sí mismos, los bebés saludables dejarán de comer cuando estén llenos. Insistir en que consuman más puede interferir con el desarrollo de su regulación de consumo alimenticio.

¿Mi bebé necesita suplementos vitamínicos?

Los bebes saludables que nacen a término no necesitan suplementos multivitamínicos. Como se dijo anteriormente, algunos se benefician del fluoruro y la vitamina D adicionales.

¿Está bien mezclar cereal de arroz con fórmula en el biberón?

No se aconseja esta práctica para los bebés saludables. Comer de una cuchara ayuda al bebé a desarrollar sus habilidades para comer.

¿Cuándo puedo usar leche de vaca en vez de fórmula?

Después del primer año. Introducir leche de vaca demasiado temprano puede llevar a la pérdida de sangre en el tracto gastrointestinal del bebé.

¿Qué alimentos son los que más causan alergia en los bebés?

Muchos tipos de alimentos pueden causar reacciones adversas en los bebés. Los más comunes son: leche de vaca, leche de soya, productos de trigo, nueces (incluyendo mantequilla de maní), huevos y mariscos.

¿Debo esterilizar los frascos y chupos?

No. Sólo asegúrate de que se laven suficientemente con agua y jabón y se enjuaguen bien.

¿Cómo saber si el bebé está consumiendo suficiente fórmula?

Durante el primer mes, la mayoría de los bebés beben más o menos 3 onzas de fórmula cada vez que comen, o entre 20 y 24 onzas en un período de 24 horas. En el segundo mes, el consumo habitual oscila entre 26 y 28 onzas, y en el tercer mes, entre 28 y 36 onzas. El aumento de peso del bebé también es un buen indicador adecuado del consumo alimenticio.

¿Por qué no se introducen los alimentos para bebé sino hasta los 4-6 meses?

Se recomienda introducir alimentos semisólidos a los 4-6 meses porque los bebés no están listos en términos de desarrollo para tragar alimentos y sus sistemas digestivos son demasiado inmaduros para procesarlos antes de ese tiempo. Incluir sólidos en la dieta en una etapa muy temprana también promueve el desarrollo de alergias a los alimentos.

¿Es la leche de cabra mejor para el bebé que la leche de vaca?

La leche de cabra no es mejor que la leche de vaca, pero no se recomienda ninguna de las dos hasta después de un año. Ambas contienen niveles de proteína y minerales que son demasiado altos para los humanos durante el primer año de vida.

He escuchado que a los bebés no se les debe dar miel. ¿Es eso cierto?

A los bebés no se les debe dar miel no pasteurizada porque puede causar botulismo. La miel pasteurizada es segura, pero en todo caso los bebés no necesitan dulce.

¿Debo reducir la cantidad de comida que le doy a mi bebé si está engordando demasiado?

Probablemente no, a menos que el bebé esté siendo sobrealimentado. Los bebés normalmente son gordos. Se les debe permitir decidir cuándo tienen hambre y cuándo han comido suficiente. Los bebés empiezan a adelgazar después de que comienzan a gatear y se vuelven más activos físicamente.

Nutrición después
del embarazo: la lactancia

"Las madres tienen una influencia tan poderosa en el bienestar de las generaciones futuras como todas las demás causas terrenales combinadas".

— John S. C. Abbot, escritor

Detrás de todo bebé lactante bien alimentado hay una madre bien nutrida. Ella tiene las condiciones ideales para ser el alimento perfecto para su bebé. La leche materna les proporciona a los niños una nutrición óptima y mucho más. Es una especie de vacuna regular y oral contra las enfermedades comunes de la niñez, como las infecciones de oído, la diarrea y las infecciones respiratorias. Para los bebés es más fácil de digerir que la leche de fórmula. Los bebés que se alimentan de lecha materna tienen menos probabilidad de experimentar alergias a los alimentos, diabetes y ciertos tipos de cáncer durante la niñez. También es menos probable que sufran de sobrepeso en esta etapa. La leche materna es la mejor fuente de nutrición para la mayoría de los bebés prematuros. Puesto que su sabor varía según la dieta de la madre, los bebés que se alimentan de ella tienen la oportunidad de probar una variedad más amplia de sabores que los bebés que toman leche de fórmula. Además, la variedad única de ácidos grasos que hay en la leche materna (incluyendo el DHA) favorece el desarrollo cerebral y la inteligencia. Si la leche materna fuera producida por un laboratorio farmacéutico, sería considerada una medicina milagrosa. La leche materna es un regalo que nos da la Madre Naturaleza y que está a disposición de todos.

Beneficios de la lactancia

La lactancia beneficia tanto a las mujeres como a los bebés. Cuando el bebé se alimenta de leche materna, se libera la hormona oxitocina que estimula la contracción de los músculos uterinos. La contracción del útero ayuda a detener el sangrado causado por el desprendimiento de la placenta de las paredes del útero (este efecto de la lactancia puede ser bastante notorio. Durante los primeros días después del parto, la mujer puede sentir con frecuencia que el útero se contrae mientras está amamantando). La lactancia parece reducir el riesgo de desarrollar cáncer de seno o de ovarios más tarde en la vida. Cuanto más tiempo dure la lactancia o cuantos más bebés amamante una madre, menor es la probabilidad de que esa mujer desarrolle estos desórdenes. Una ventaja adicional e importante de la lactancia es que es una experiencia agradable, una gran fuente de satisfacción y placer.

Los beneficios de la lactancia tanto para la madre como para el bebé la convierten en una opción clara de alimentación infantil. Sin embargo, debido a las exigencias de trabajo poco después del parto, al desinterés en la lactancia o a problemas de salud, la lactancia puede no ser lo mejor para todas las mujeres y bebés. Las mujeres que se sienten obligadas a amamantar y que nunca se sentirán cómodas con ello, probablemente no deberían lactar. Puede resultar muy difícil hacerlo con éxito si tu corazón no está puesto en ello.

Si no estás segura de si debes alimentar a tu bebé con leche materna o con fórmula, saber mejor cómo funciona la lactancia puede ayudarte a tomar la decisión. Puedes considerar las diez siguientes razones adicionales para lactar:

1. La leche materna sabe realmente bien.
2. Una sesión de lactancia constituye una comida completa.
3. El precio es bueno.
4. El envase de la leche es atractivo y fácil de limpiar.
5. No hay empaques que botar.
6. No hay un biberón que andar recogiendo del suelo.
7. La leche materna es un recurso renovable y no hay desperdicios.
8. La temperatura de la leche materna siempre es la perfecta cuando está recién salida del envase.
9. Te toma sólo dos segundos preparar una comida y no tienes que ir a la cocina a media noche.
10. Las comidas y los refrigerios son fáciles de llevar cuando vas de viaje o sales de casa.

Si has decidido amamantar, este capítulo te da información que puede ser usada para que la experiencia sea más fácil. Incluye datos sobre cómo funciona la lactancia y cómo saber si está funcionando bien, lo mismo que algunas recomendaciones de alimentación para las mujeres lactantes. Al final del capítulo encuentras la respuesta a preguntas muy comunes sobre la lactancia.

Cómo funciona la lactancia

El cuerpo de la mujer comienza a prepararse para la lactancia durante el embarazo. Lo hace depositando grasa en el tejido mamario y expandiendo la red de vasos sanguíneos que infiltran las células de los senos. También maduran los ductos que conducen la leche desde las células productoras de leche hasta el pezón.

Los cambios hormonales que ocurren en el parto indican que la producción de leche debe comenzar. Debido a que es el parto, y no la longitud del embarazo, el que inicia la producción de leche, ésta está disponible para los bebes que nacen prematuramente.

La leche que produce la mujer durante los primeros días después del parto es diferente a la que se produce más tarde. La primera leche se llama *calostro* y contiene un nivel más alto de anticuerpos, proteínas y minerales que la leche "madura", es decir, aquella que se produce cuando el bebé tiene tres o cuatro días. El calostro es una fuente concentrada de medicina preventiva. Le proporciona al bebé una inyección de anticuerpos contra las infecciones para su paso de un ambiente libre de gérmenes a uno lleno de ellos. El calostro es más espeso que la leche madura y tiene un color amarillento.

La leche madura viene en dos formas: *leche anterior y leche posterior (leche materna al principio y al final de la toma)*. La leche anterior representa aproximadamente un tercio del suministro disponible de leche, mientras que la posterior constituye el resto. Por estar presente en los ductos que conducen de las células productoras de leche hasta el pezón, la leche anterior está disponible inmediatamente para el bebé. Contiene menos grasa y proteína y por lo tanto menos calorías que la leche posterior.

La leche posterior se almacena en las células productoras de leche de los senos. A diferencia de la anterior, no está disponible instantáneamente para el bebé. Esta leche es liberada por la oxitocina, la misma hormona que le indica al útero que debe contraerse durante los primeros días después del parto. La oxitocina hace que las células productoras de leche se contraigan liberando así la leche posterior. Este proceso comúnmente se conoce como *bajada de la leche*. Este efecto de liberación de leche causado por la oxitocina es tan poderoso que la leche en efecto es expulsada del seno. Si no se libera la leche posterior, el bebé no obtendrá suficiente cantidad, estará hambriento la mayor parte del tiempo y puede crecer y desarrollarse indebidamente. Hay una serie de condiciones que pueden interferir con la producción de oxitocina, y por lo tanto, con la liberación de la leche posterior durante la lactancia. El hecho de que no baje la leche es una causa importante del fracaso en la lactancia.

Factores que afectan la bajada de la leche

La bajada de la leche se puede iniciar ya sea por factores físicos o psicológicos. Generalmente se inicia con la sensación física de la succión del pezón por parte del bebé, pero también puede ocurrir cuando la madre escucha el llanto del bebé o incluso cuando piensa "es hora de alimentar al bebé". El estímulo físico o psicológico le indica a una parte del cerebro que debe liberar oxitocina en el torrente sanguíneo. Cuando logra su objetivo, las células productoras de leche se contraen y expulsan su contenido de leche.

Algunas formas de estímulos físicos o psicológicos pueden obstaculizar el acto reflejo de bajada de la leche. El estrés, el dolor, la ansiedad y otras distracciones pueden bloquear la liberación de oxitocina. Si una mujer tiene dolor, o si tiene presión de tiempo, por ejemplo, puede que no le baje leche. Cuando esto sucede con demasiada frecuencia, la mujer puede pensar que no tiene suficiente leche y puede decidir cambiar a una alimentación con fórmula. En estos casos, el problema no es falta de leche sino la imposibilidad de que ésta baje. La lactancia en ambientes cómodos y relajantes, junto con el disfrute desinhibido de la lactancia, ayudan a que la leche baje normalmente.

Producción de leche materna

Mientras el bebé está consumiendo una comida, está ordenando la siguiente. La presión que se produce al interior de los senos por la succión del bebé y el hecho de que las mamas se van desocupando durante una sesión de lactancia hacen que unas células especiales del cerebro liberen una hormona llamada prolactina. La prolactina estimula la producción de leche. Los senos producirán tanta leche como el bebé consuma. En general, las células productoras de leche se tardan dos horas en producir suficiente leche para la siguiente alimentación del bebé. Sin embargo, hay una excepción importante en este período de recuperación de dos horas: cuando el bebé está próximo a entrar en una racha de crecimiento y come más en preparación para ello.

Los bebés, al igual que los niños y los adolescentes, crecen en rachas y no a un ritmo constante. Al prepararse para una racha de crecimiento, el hambre aumenta y el consumo de leche materna se puede duplicar. El primer lapso de crecimiento notorio generalmente ocurre entre los 14 y los 28 días de edad. El aumento del consumo de leche materna asociado con un lapso de crecimiento próximo alarga el tiempo que se demora la producción de una recarga en el suministro de leche. En lugar de dos horas, la producción de leche materna se puede tomar hasta 24 horas para ponerse al día con la demanda. Esto significa que durante un día, el bebé querrá comer con frecuencia y su apetito no será completamente satisfecho. Aunque la mujer puede pasar la mayor parte del día amamantando a un bebé que está próximo a tener un lapso de crecimiento, en la medida en que se le permita al bebé alimentarse con tanta frecuencia como desee, la producción se pondrá al día con las necesidades del bebé. Adicionar leche de fórmula a la dieta del bebé disminuirá la producción puesto que el bebé consumirá menos leche materna.

Cómo asegurarse de que el bebé está obteniendo suficiente leche materna

A diferencia de la alimentación con biberón, no hay una manera fácil para que la mujer lactante sepa cuánto alimento ha consumido el bebé. Ella debe aprender a calcular si el bebé está obteniendo suficiente comida mediante las señales que él emite. Los bebés que recobran su peso al nacer después de dos semanas, que succionan vigorosamente, que no sienten hambre antes de dos o cuatro horas, y que están aumentando de peso a un ritmo adecuado, probablemente están obteniendo suficiente leche materna. Desafortunadamente, cuando los bebés no reciben suficiente leche en el transcurso de días o semanas, no pueden emitir señales que indiquen que esto está pasando. Los bebés pequeños que no están consumiendo suficiente leche se pueden volver callados, hoscos y dormilones. Cuando se les ofrece el seno, pueden succionar sin fuerza y no parecer estar hambrientos. La falta de comida les ha robado la energía, y puesto que no se pueden quejar, es difícil saber que algo está pasando.

Si te preocupa que tu bebé no esté obteniendo suficiente leche materna, revisa lo siguiente:

- ¿El ritmo de aumento de peso del bebé es el adecuado?
- ¿El bebé está mojando menos de 6-8 pañales al día? ¿Hace menos de 3-5 deposiciones al día? Debe haber al menos esta cantidad.
- ¿El interior de la boca del bebé está seco? Debería estar húmedo.
- ¿Puedes escuchar cuando el bebé pasa leche mientras está comiendo? El ruido al tragar debe ser audible.
- ¿La succión del bebé es débil? Debe ser fuerte, especialmente cuando empieza a comer.
- ¿El bebé dura poco tiempo comiendo, o menos de unos pocos minutos? Los bebés usualmente consumen el 70 por ciento del total de la leche durante los primeros cinco minutos de lactancia, y el 90 por ciento a los diez minutos.
- ¿La frecuencia de las comidas es inferior a ocho veces al día? Los bebés generalmente sienten hambre 8-12 veces al día durante los primeros meses de vida.
- ¿Te está bajando leche? Muchas mujeres pueden sentir cuando la leche baja como una sensación de pinchazo en los pezones durante el primer minuto de lactancia. Sabrás que la leche ha bajado si ésta sale del pecho en forma de chorro en vez de gota, si retiras al bebé por un minuto después de que ha comenzado a comer.

No todos los bebés que muestren una o más de estas señales están consumiendo poca leche materna. No obstante, son señales de alerta que debes comunicar a tu médico sin demora.

Recuerda que tanto los bebés que se alimentan de leche materna como los que toman leche de fórmula pueden ser sobrealimentados. La sobrealimentación generalmente resulta de darle de comer al bebé por causas equivocadas. Es frecuente tratar de calmar a los bebés poniéndolos a succionar el pecho cuando están cansados, ansiosos, frustrados o simplemente cuando sienten la necesidad de chupar. Intenta darle un chupo, consentirlo, cambiarlo de pañal, o sacarle los gases antes de ofrecerle el seno a un bebé que sospechas que no tiene hambre.

Como hacer que el bebé deje la leche materna

Nadie sabe cuál es la mejor longitud del período de lactancia en términos de salud para el bebé. Sin embargo, a través del tiempo se ha observado que las mujeres en la mayoría de las culturas generalmente amamantan de seis meses a dos años. Los animales que producen leche, como los perros, los gatos, los ratones y las ratas, tienden a amamantar durante más o menos la misma longitud de tiempo que los seres humanos. Las ratas, por ejemplo, se demoran unos 21 días en producir la camada y amamantan a sus críos durante los primeros 21 días después de que nacen. Que nueve meses sea la mejor longitud de tiempo para dar leche materna a los humanos es debatible. No obstante, parece que amamantar de seis meses a un año es un rango adecuado. Se recomienda que los bebés se alimenten exclusivamente de leche materna durante los primeros 3-6 meses de vida. En todo caso, cualquier duración del período de lactancia es mejor que ninguno.

La producción de leche materna continúa mientras el bebé se alimente de ella; disminuye cuando se le dan al bebé otros alimentos, cuando los intervalos entre comidas se alargan y cuando los senos no se desocupan completamente después de darle de comer al bebé. La producción cesa completamente cuando el bebé deja de comer pecho.

Dilemas sobre la lactancia

El 99 por ciento de las mujeres que desean amamantar están físicamente capacitadas para hacerlo. La disposición psicológica de la madre y un ambiente propicio son los factores clave para el éxito de la lactancia. La lactancia requiere tiempo, paciencia, comprensión y sentido del humor. Es un proceso de aprendizaje tanto para la madre como para el bebé.

El mayor período de ajuste a la lactancia generalmente ocurre durante los primeros 7-10 días después del parto. Es común que surjan problemas durante este tiempo, pero con la orientación y el apoyo adecuado las dificultades se pueden resolver rápidamente. La mejor manera de manejar los problemas de lactancia es obtener orientación profesional y apoyo de una persona conocedora. Algunos problemas se pueden resolver con una simple llamada a tu médico, mientras que otros se manejan mejor con la asesoría de un experto en lactancia. Al final de este libro encontrarás una lista de varias fuentes de orientación y apoyo. No dudes en aprovechar el conocimiento y las habilidades de personas que saben cómo resolver las dificultades de la lactancia.

Lineamientos sobre alimentación para mujeres lactantes

Las mujeres lactantes necesitan una dieta adecuada y balanceada por su propia salud y resistencia, para reponer las reservas de nutrientes que se necesitan durante el embarazo, y para producir un suministro generoso de leche materna. En la lactancia, "se alimenta al bebé alimentando a la madre".

La necesidad de calorías que tiene una mujer durante la lactancia es alrededor de 25 por ciento más alta que para una mujer no embarazada. Puesto que la energía proveniente de las reservas de grasa contribuye a satisfacer esta necesidad, no toda la energía adicional debe provenir de la dieta. En general, una dieta que suministre unas 500 calorías más por día que antes del embarazo satisface las necesidades de energía para la producción de leche materna. También permite una pérdida de peso corporal de aproximadamente media libra por semana.

Como sucede con el embarazo, para la lactancia se requieren cantidades proporcionalmente más altas de nutrientes y calorías, que se suman a la necesidad de una dieta rica en nutrientes. El agua adicional que se requiere para la lactancia generalmente se obtiene sin ningún esfuerzo especial. La mujer simplemente necesita beber suficiente líquido para calmar la sed.

La energía y los nutrientes necesarios para mantener la buena salud de las mujeres lactantes y producir el alimento perfecto para los bebés se pueden obtener consumiendo la variedad de alimentos recomendados en la guía alimenticia MiPirámide. Si no estás segura de que tu dieta contenga la variedad de alimentos apropiados, evalúala como lo hiciste anteriormente. La Figura 10.1 te proporciona un formato en blanco para registrar tu dieta usual.

Las mujeres lactantes deben consumir suficientes calorías para perder peso a un ritmo no superior a media o una libra por semana. La pérdida de peso que exceda una libra y media o dos libras por semana puede reducir la cantidad de leche materna que se produce. No se recomiendan las dietas líquidas, las dietas ricas en proteínas, las dietas de alimentos crudos, ni las pastillas adelgazantes.

Efectos de la dieta en la composición de la leche materna

Las células que producen leche reciben la materia prima necesaria para elaborarla de la sangre de la madre. Para la mayoría de las sustancias, lo que termina en el torrente sanguíneo de la madre refleja lo que ella consumió. En consecuencia, la composición de la leche materna varía un poco dependiendo de la dieta de la madre. Para otras sustancias como el hierro, el zinc y el cobre, la cantidad que entra a la leche materna es regulada al interior de las células productoras de leche y los niveles se mantienen relativamente constantes sin importar la dieta materna.

Las células productoras de leche realizan procesos de control de calidad que regulan la cantidad de carbohidratos, proteínas, grasa y muchos minerales en la leche materna. También regulan la cantidad de leche que se produce cuando el consumo de calorías de la madre es demasiado bajo. En lugar de diluir el contenido de energía de la leche como respuesta a una dieta baja en calorías, el volumen de leche disminuye.

El contenido de vitaminas y minerales de la leche materna puede estar afectado por la dieta de la madre. La cantidad de tiamina, vita-

FIGURA 10.1 FORMATO DE REGISTRO DE DIETA USUAL PARA UNO O DOS DÍAS DE CONSUMO ALIMENTICIO

Momento del día	DÍA 1		DÍA 2	
	Lo que comí o bebí	Cantidad	Lo que comí o bebí	Cantidad
Ejemplo:				
Medio día	Ensalada del chef:		Lasaña vegetariana: pasta	1 taza
	lechuga romana	2 tazas	salsa de tomate	½ taza
	pavo	1 onza	calabacín	¼ taza
	jamón	1 onza	queso	1 onza
	queso	1 onza	leche	1 taza
	té helado	1½ tazas		
Mañana				
Media mañana				
Medio día				
Tarde				
Noche				
Tarde en la noche				

mina C, vitamina D y DHA en la leche materna, por ejemplo, varía según los tipos de alimentos y suplementos que la madre ingiera. En algunos bebés amamantados por madres que carecen de los niveles suficientes de nutrientes, se han diagnosticado enfermedades como deficiencia de tiamina (beriberi), deficiencia de yodo, cretinismo, deficiencia de vitamina D (raquitismo) y deficiencia de vitamina B_{12} (anemia perniciosa).

Dieta materna y cólicos del bebé

No se conocen con certeza las diversas causas del cólico, lo cual lo hace un problema difícil de tratar. Sin embargo, algunos alimentos en la dieta de la madre parecen ser una de las posibles causas. La inclusión de leche de vaca, chocolate, cebolla, repollitas de Bruselas, brócoli, repollo y coliflor en la dieta de la madre parece estar relacionada con el desarrollo de síntomas de cólico en los bebés.

Alcohol

El alcohol en la dieta de la mujer aparece en la leche materna. Curiosamente, algunas veces se recomienda a las mujeres el consumo de cerveza o de vino para ayudarlas a elaborar su suministro de leche materna y para "relajarlas" antes de lactar. Resulta que el alcohol no promueve la producción de leche materna y puede hacer más lento el flujo de leche. El alcohol se puede tardar 2-3 horas en salir del suministro de leche materna después de que se ha ingerido. El consumo de una copa de vino o una cerveza tres horas antes de la lactancia parecen ser seguros para el cuerpo. Si se consume alcohol, se debe limitar la cantidad y medir el tiempo de manera que el bebé no termine tomando leche materna fortificada con alcohol. Beber mucho durante la lactancia puede exponer a los bebés a niveles de alcohol que pueden perjudicar su desarrollo.

Contaminantes ambientales de la leche materna

Algunos contaminantes ambientales, tales como residuos de pesticidas organo-clorados, bifeniles policlorados (PCB) y mercurio, se transmiten a la leche materna. Muchos contaminantes ambientales son solubles en grasa; si se consumen, se almacenarán en el tejido graso de la mujer. Cuando las reservas de grasa se descomponen para ser usadas en la leche materna, los contaminantes almacenados en la grasa ingresan a la leche. Se ha relacionado el consumo de pescado de las aguas contaminadas de los lagos Ontario y Michigan con altos niveles de PCB en la leche materna; se han reportado otros brotes localizados de contaminación de leche materna. Obviamente, las mujeres no deben comer pescado de aguas contaminadas. Muchos lagos y ríos tienen avisos en los que se indica que el agua está contaminada y que el pescado de esas aguas no es apto para el consumo. Los departamentos o secretarías de salud local te pueden dar información sobre las aguas contaminadas que haya en tu zona de residencia. Sin embargo, en la mayoría de los casos, la exposición de la mujer a sustancias tóxicas ambientales es suficientemente baja como para perjudicar al bebé. Los beneficios de la lactancia contrarrestan de sobra los riesgos asociados con la exposición a toxinas ambientales para la gran mayoría de los bebés que toman leche materna.

Suplementos vitamínicos y minerales

Las mujeres saludables que consumen una dieta adecuada mientras están lactando no necesitan suplementos vitamínicos y minerales. Las vegetarianas y las mujeres que no consumen una fuente de vitamina D o que tienen poca exposición directa al sol deben tomar un suplemento de vitamina D de 5-10 µg (200-400 UI) por día. Las vegetarianas también deben asegurarse de obtener suficiente vitamina B_{12} y otros nutrientes que se encuentran primordialmente en alimentos de orígen animal.

Los bebés que se alimentan de leche materna pueden necesitar un suplemento diario de 5 µg (200 UI) de vitamina D si reciben poca exposición directa a la luz solar (menos de un total de 30 minutos por semana sólo con pañales, o 2 horas por semana en total si sólo se expone su cabecita). A los bebés se les debe prescribir un suplemento de fluoruro de 0,25 mg después de los seis meses de edad.

Preguntas sobre la lactancia

¿Debo complementar con leche de fórmula si temo que mi bebé no esté obteniendo suficiente leche materna?

Aunque algunas veces es necesario, en general no es una buena idea dar leche de fórmula a un bebé que se alimenta de leche materna, especialmente durante las primeras semanas. El uso de fórmula puede llevar a una reducción de la producción de leche materna y a una dependencia de la fórmula. Permitir que el bebé tome leche materna cuando lo necesite (que será entre 8-12 veces al día en los primeros meses) resulta en una producción de leche materna que está a la par con la cantidad que el bebé necesita. Si tu bebé no come con la frecuencia necesaria, intenta despertarlo y alimentarlo cada 2-3 horas. Si te preocupa que no esté obteniendo suficiente leche materna, busca inmediatamente la asesoría de tu médico o de un experto en lactancia.

Algunos días mi bebé parece estar particularmente hambriento y quiere comer todo el tiempo. ¿Significa que no estoy produciendo suficiente leche?

Probablemente tu bebé se está preparando para una racha de crecimiento. Tu suministro de leche se pondrá al día con las necesidades de tu bebé en un lapso de 24 horas. Continúa alimentando al bebé con frecuencia para ayudar a construir tu suministro de leche.

¿Hay algún alimento que deba evitar en mi dieta que le cause cólico a mi bebé?

Los cólicos se pueden dar por varias razones, entre ellas los componentes de la dieta de la madre lactante. Eliminar el consumo de leche de vaca, yogur, queso, chocolate, cebolla y vegetales crucíferos (brócoli, repollitas de Bruselas, cebolla, ajo, coliflor) puede aliviar los síntomas de cólico en algunos bebés. Usualmente los cólicos desaparecen a los cuatro meses de edad.

¿Puedo seguir siendo vegetariana y amamantar?

Por supuesto. Asegúrate se estar obteniendo suficiente calcio, vitamina D, DHA y vitamina B$_{12}$ a partir de alimentos fortificados o suplementos.

¿Cuál es la mejor manera de almacenar la leche materna?

La leche materna guardada en un recipiente limpio se puede almacenar sin problema en la nevera hasta tres días, o en el congelador durante varios meses.

¿Perderé peso más rápidamente si amamanto?

Algunas mujeres que amamantan pierden más peso que aquellas que no lo hacen, pero ese no es siempre el caso. Perder o ganar peso depende del balance de energía, es decir, de si estás gastando más calorías a través de la lactancia y la actividad física de las que estás consumiendo en los alimentos.

¿Puedo amamantar gemelos?

Se puede y se ha hecho miles de veces. Pero trata de no perder peso demasiado rápido. Eso puede disminuir tu suministro de leche.

¿Le hará daño a mi bebé si amamanto mientras estoy embarazada?

No hay estudios que indiquen que la lactancia durante el embarazo sea perjudicial. Sin embargo, la producción de leche parece disminuir a medida que avanza el embarazo.

Mis senos son pequeños. ¿Puedo producir suficiente leche?

Sí. La producción de leche no depende del tamaño de los senos. Mujeres con senos de todos los tamaños tienen en su cuerpo todo lo necesario para suministrar suficiente leche a un bebé.

¿Debo "forzar" el consumo de líquidos durante la lactancia?

A las mujeres lactantes se les recomienda beber los líquidos suficientes para calmar la sed. Beber muchos líquidos no aumentará el volumen de leche materna.

¿Debo consumir 300 mg de EPA y DHA durante la lactancia?

El DHA parece tener particular importancia en el desarrollo del bebé. El cuerpo convierte el EPA en DHA, así que puedes consumir alimentos que contengan los dos. La cantidad de DHA en la leche materna refleja el nivel de DHA de la madre. Así pues, si no has consumido suficiente DHA, el bebé tampoco lo ha hecho.

¿Es la cafeína segura para mi bebé?

La cafeína en la dieta de la madre sí entra a la leche materna. Sin embargo, varias tazas de café al día no parecen ser perjudiciales para el bebé.

La buena nutrición afecta todas las etapas del embarazo y más allá. En los siguientes capítulos encontrarás recetas deliciosas y saludables para que te inicies en el camino de la buena nutrición.

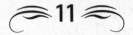

Recetas para comer bien

Una manera de obtener los nutrientes que necesitas antes, durante y después del embarazo es preparar platos que los contengan. Este capítulo incluye algunos de mis platos preferidos que proporcionan los nutrientes de los cuales he hablado tanto en este libro. Aquí sólo aparecen recetas deliciosas y ricas en fibra, hierro, EPA y DHA, calcio y otros nutrientes de especial importancia para las mujeres durante y después del embarazo. Cada receta viene con su propia información nutricional (verás cifras en "%" en las secciones de "información nutricional"). Esas cifras representan el porcentaje de consumo diario recomendado de los nutrientes contenidos en una porción de las recetas. En las recetas se usa el sistema de medidas empleado en Estados Unidos; en el Anexo B se dan los equivalentes de estas medidas en el sistema métrico en caso de que lo prefieras.

Disfruta las recetas… Y sus nutrientes.

Uso de ollas curadas de hierro fundido

Las ollas curadas de hierro fundido son antiadherentes, fáciles de limpiar, te ayudan a desarrollar fuerza en los brazos (son pesadas) y comparten su hierro con los alimentos que se cocinan en ellas. Te pueden durar toda una vida, si es que tus hijos no las toman "prestadas" cuando consiguen su primer apartamento, como lo hicieron los míos.

1. Lava una olla o sartén nuevo de hierro fundido y sécalo a temperatura media en la estufa hasta que se evapora el agua.
2. Con una toalla de papel, recubre ligeramente el fondo y las paredes de la olla o sartén con un poco de aceite vegetal.
3. Coloca la olla sobre la estufa a fuego medio hasta que se caliente. Luego retírala. Si ves que sale humo de la olla mientras la calientas, quítala rápidamente del calor y deja que se enfríe. Evita que se caliente tanto.
4. Cuando la olla se haya enfriado un poco, agrega otra capa de aceite y vuelve a calentar la olla como lo hiciste antes. Ya está lista para usar.
5. Después de usarla, limpia la olla con agua caliente y caliéntala en la estufa para que se seque. Agrega una capa delgada de aceite a la olla antes de cada uso.

Nota: Las ollas de hierro fundido se vuelven antiadherentes porque se expanden un poquito al calentarlas y se contraen cuando se enfrían. El aceite se filtra en la olla cuando está caliente y queda atrapado en ella cuando se enfría.

Cocinar los alimentos en ollas de hierro fundido entre diez y quince minutos generalmente aumenta el contenido de hierro de los alimentos. La cantidad de hierro que se transfiere será mayor cuanto más se cocinen los alimentos, y es particularmente alta en el caso de alimentos ácidos como el tomate y la manzana.

FRITTATA AL HORNO

Este delicioso y hermoso plato es similar a un quiche. Sale del horno con un color dorado, unas pintitas rojas y una cubierta crocante hecha de tortilla de harina. La frittata al horno califica en términos nutricionales para ser incluida aquí, básicamente porque es una buena fuente de EPA, DHA y verduras.

1   tortilla de harina de 23 cm
2   cucharaditas de mantequilla o margarina
1   cucharada de aceite vegetal
1   bulbo de puerro (parte blanca y verde muy clarita), cortado en rebanadas de ½ cm de grosor
½   pimentón rojo, en cubitos (½ a ¾ de taza)
½   chalote, en cubitos
½   taza de jamón, en cubitos (opcional)
½   taza de espinaca congelada cortada, descongelada y bien escurrida
4   huevos omega
½   taza de leche
⅛   cucharadita de sal
⅛   cucharadita de pimienta negra
¼   taza de queso parmesano rallado

1. Precalentar el horno a 350° F.
2. Recubrir una cara de la tortilla con la mantequilla o margarina. Colocarla en un molde de 20 cm con la cara engrasada hacia abajo. Presionar la tortilla firmemente contra el fondo del molde para darle forma.
3. Hornear la tortilla durante 8 minutos a 350° F.
4. Cuando la tortilla salga del horno, tomar una toalla de papel o un limpión doblado y presionar la tortilla contra el fondo del molde.
5. Calentar el aceite en un sartén de hierro fundido a fuego medio. Agregar las rebanadas de puerro, el pimentón y el chalote. Saltear hasta que los vegetales estén ligeramente blandos. Retirar el sartén del fuego.

6. Colocar los huevos, la leche, la sal, la pimienta y el queso parmesano en un recipiente de vidrio. Mezclar.

7. Agregar el jamón, la espinaca y los vegetales salteados a la mezcla de huevo y revolver.

8. Verter la mezcla sobre la tortilla en el molde.

9. Hornear durante 40 minutos a 350° F o hasta que la frittata esté dorada y la mezcla de huevo esté firme. Nota: La sobrecocción puede secar demasiado la frittata.

Información nutricional por porción (1/6 de frittata): calorías: 190; proteína: 10 g (14%); fibra: 1.5 g (5%); hierro: 1.5 mg (6%); magnesio: 85 mg (24%); vitamina A: 201 mcg (26%); vitamina E: 1.6 mg (11%); folato: 48 mcg (8%); EPA + DHA: 133 mg (44%).

PANCAKES DE SUERO DE LECHE

3 Porciones

Mamá me enseñó a prepara estos suaves y livianos pancakes y a mi hija Amanda se le ocurrió la idea de preparar sirope de frutas usando jugo de frutas congelado, concentrado al 100%. El syrup sabe delicioso y es fácil de preparar. Los pancakes son una buena fuente de los nutrientes que se encuentran en la leche y de folato. Si utilizas huevos omega, también obtienes un refuerzo de DHA.

1 taza de suero de leche
1 huevo omega
1 cucharada de azúcar
¼ cucharadita de canela (opcional)
1 cucharada de aceite vegetal
2 cucharadas de mantequilla o margarina derretida
¾ taza de harina
½ cucharadita de bicarbonato de sodio

1. Colocar el suero, el huevo, el azúcar, la canela y el aceite en un recipiente de vidrio y mezclar los ingredientes con un batidor manual.

2. Agregar la mantequilla o margarina derretida mientras se bate la mezcla.

3. Agregar la harina y revolver hasta que la mezcla esté suave. No batir en exceso.

4. Incorporar el bicarbonato de sodio. Dejar la mezcla en reposo un par de minutos.

5. Cocinar los pancakes en un sartén de hierro fundido ligeramente engrasado. La temperatura del sartén es la adecuada cuando al echar una gota de agua, ésta "baila" en el fondo del sartén.

Información nutricional por porción (2 pancakes de 12 cm de diámetro): calorías: 214; proteína: 6 g (8%); fibra: 1.5 g (5%); calcio: 81 mg (8%); folato: 53 mcg (19%); EPA + DHA: 50 mg (17 %).

PAN DE BANANO Y SALVADO DE AVENA

Salen 2 panes de molde (de 8 tajadas cada uno)

Este pan no es seco y tiene un sabor estupendo, especialmente cuando se sirve tibio. Es una buena fuente de fibra y proporciona cantidades moderadas de varias vitaminas y minerales.

½   taza (1 barra) de mantequilla o margarina blanda

1   taza de azúcar

2   huevos omega

1/3   taza de suero de leche (o agregar 1 cucharadita de vinagre a 1/3 de taza de leche)

1   cucharadita de bicarbonato de sodio

1   cucharadita de sal

1   taza de banano maduro en puré (2 bananos medianos)

1   taza de harina

1   taza de salvado de avena (o avena en hojuelas)

1. Precalentar el horno a 350° F.

2. Engrasar ligeramente un molde de 10 x 20 cm.

3. Mezclar los ingredientes en el orden indicado en un recipiente de vidrio. Continuar con la harina hasta que se incorpore bien en la mezcla. Mezclar en exceso en este punto hará que se formen vacíos en el pan y se reseque.

4. Hornear la mezcla a 350° F durante 55 minutos o hasta que un tenedor enterrado en la mitad del pan salga limpio.

Información nutricional por porción (1 tajada o 1/8 de molde): calorías: 168; proteína: 3 g (4%); fibra: 1.4 g (5%); magnesio: 21 mg (6%); EPA + DHA: 25 mg (8%).

Ensalada de pollo tipo oriental

2 Porciones

¿Te encanta la combinación de lechugas crocantes, almendras tostadas, mandarina, pollo, y aderezo para ensalada tipo oriental? Utiliza la receta para el aderezo si no puedes conseguir aderezo oriental para ensaladas en el supermercado. Los ingredientes para la ensalada incluyen casi todos los grupos de alimentos básicos y proporcionan una amplia variedad de vitaminas y minerales.

1 cucharadita de mantequilla o margarina

1 cucharadita de aceite vegetal

3 cucharadas de almendras finamente picadas

4 onzas de pollo cocinado, en cubitos (aproximadamente 1 taza)

3 tazas de verduras de hoja para ensalada, cortadas (lechuga romana, espinaca, variedad de lechugas, etcétera.)

½ taza de mandarinas

¼ taza de fideos fritos (chow mein)

Aderezo oriental para ensalada

2 onzas (4 cucharadas) de aderezo de miel y mostaza

½ cucharadita de aceite de ajonjolí

2 cucharaditas de jugo de mandarina enlatado (opcional)

1. Poner la mantequilla o margarina y el aceite en un sartén pequeño a fuego medio. Cuando la mantequilla o margarina esté derretida, agregar las almendras picadas y dorarlas uniformemente por todos los lados. (Esto no es tan fácil de hacer como parece; las almendras se pueden quemar si no tienes cuidado).
2. Calentar el pollo antes de incorporarlo a la ensalada si se desea.
3. Colocar las verduras de hoja, las almendras, la mandarina, los fideos fritos, el pollo y el aderezo en una ensaladera y mezclar.

Información nutricional por porción (2 ½ tazas): calorías: 391; proteína: 22 g (31%); fibra: 4 g (14%); hierro: 1.3 mg (5%); vitamina E: 3 mg (20%); folato: 128 mcg (21%); vitamina C: 29 mg (34%) y hermosos fitoquímicos vegetales.

Coctel de camarones

4 Porciones

¿Estás consumiendo al menos 300 mg de EPA y DHA al día? ¿Te gusta el coctel de camarones? Date gusto. El coctel de camarones es bajo en calorías, proporciona una rica variedad de minerales y mucho EPA y DHA.

1   libra de camarones congelados, precocidos y sin vena

Salsa para el coctel

½   taza de salsa de tomate
1   cucharadita de jugo de limón
1   cucharada de rábano picante preparado (cantidad al gusto)

1. Descongelar y lavar los camarones
2. Mezclar la salsa de tomate, el jugo de limón y el rábano picante en un recipiente pequeño.

Información nutricional por porción (4 onzas de camarón con salsa): calorías: 114; proteína: 23 g (32%); hierro: 3.3 mg (12%); magnesio: 39 mg (11%); zinc: 1.8 mg (16%); EPA + DHA: 625 mg (208%).

Fríjoles negros con sopa de arroz

4-5 Porciones

Tomaba esta sopa dos veces al día cuando viví un verano en Costa Rica. Es un plato "tico", excepto por el hecho de que esta receta se hace con fríjoles enlatados en lugar de secos. La sopa puede llevar carne (puedes agregarle pedacitos de cerdo cocido, jamón o pavo ahumado mientras hierve). Esta deliciosa sopa es una buena fuente de fibra, magnesio, zinc y antioxidantes.

2   cucharadas de aceite de oliva

1   cucharadita de ajo en polvo (o 1 ó 2 dientes de ajo fresco, molidos)

½   cucharadita de cebolla en polvo

¼   cucharadita de pimienta negra

½   cucharadita de pimiento rojo seco, triturado (opcional)

1   hoja seca de laurel

1   lata de 15,5 onzas de fríjol negro (sin escurrir)

1   lata de 11,5 onzas de caldo de pollo o de verduras

2   cucharaditas de sidra de manzana o de vinagre

1   taza de arroz crudo (integral o blanco)

1. Poner el aceite de oliva en una olla mediana de hierro fundido y agregar el ajo y la cebolla en polvo, la pimienta negra, el pimiento rojo y la hoja de laurel. Calentar todos estos ingredientes a fuego medio-bajo durante un minuto aproximadamente. El fuego alto puede hacer que el ajo y la cebolla en polvo se quemen.

2. Agregar los fríjoles negros y el caldo a la olla. Revolver.

3. Esperar a que la mezcla hierva, revolviendo de vez en cuando. Tapar la olla y dejar hervir a fuego medio durante 15 a 20 minutos. Revolver de vez en cuando mientras se prepara el arroz.

4. Cocinar el arroz según las instrucciones del empaque. Si quieres obtener un arroz menos pegajoso, coloca el arroz seco en un colador y lávalo muy bien con agua antes de cocinarlo.

5. Sacar la hoja de laurel de la sopa.

6. Colocar una porción de la sopa de fríjol negro en un recipiente y cubrir con arroz. Agregar a la sopa cebolla cortada y un chorrito de vinagre si se desea.

Información nutricional por porción (1 1/3 de taza sin carne): calorías: 286; proteína: 10 g (14%); fibra: 8 g (29%); hierro: 3.4 mg (13%); magnesio: 91 mg (26%); calcio: 62 mg (6%); folato: 111 mcg (19%); zinc: 1.5 mg (14%) y la saludable ayuda de los pigmentos antioxidantes que se encuentran en estos coloridos fríjoles.

CREMA DE VERDURAS DE (TÚ LE DAS EL NOMBRE)

6 Porciones

Algunas de las mejores verduras que he probado alguna vez ha sido en sopas. Una vez que domines la salsa blanca, puedes usar esta receta para preparar todo tipo de cremas, de espárragos, papas, puerros, brócoli, coliflor, zapallo, champiñones, apio o espinaca. Anímate. Prueba combinar varias verduras. Obtendrás los beneficios nutricionales de la leche y las verduras en cada taza.

3   cucharadas de mantequilla o margarina
4   cucharadas de harina
½   cucharadita de sal
¼   cucharadita de pimienta negra
4   tazas de leche
2   tazas de verduras cortadas, cocinadas de la forma que más te guste (salteadas, hervidas, al vapor)

1. Hacer la salsa blanca: derretir la mantequilla o margarina en una cacerola de fondo grueso de 2 litros. Con un batidor manual, incorporar la harina, la sal y la pimienta. Cocinar a fuego medio, revolviendo constantemente, hasta que la mezcla esté suave y burbujeante. Poner el fuego en bajo y continuar revolviendo la mezcla durante 1 minuto. Retirar la cacerola del fuego.
2. Calentar la leche en el horno microondas hasta que empiece a soltar vapor. Incorporar gradualmente la leche caliente a la mezcla, revolviendo.

3.   Esperar a que la mezcla hierva sin dejar de revolver. Dejarla hervir durante 1 minuto, revolviendo constantemente.

4.   Agregar las verduras cocidas y continuar calentando la sopa hasta que ésta adquiera la temperatura necesaria para servirla.

5.   Esparcir un poco de cilantro picado, cebollín o una pizca de pimienta cayena al momento de servir, si se desea.

Información nutricional por porción (1 taza de crema de sopa de espárragos): calorías: 166; proteína: 7 g (10%); calcio: 165 mg (17 %); folato: 99 mcg (11%).

CHILI CON FRÍJOLES Y CARNE

9 Porciones

Este chili va muy bien con pan de maíz. Deja por fuera la carne y tendrás un plato vegetariano. En la receta se usa la salsa de tomate condimentada como base. Puedes hacerlo tan picante como quieras. Con carne, este plato ofrece las bondades de los nutrientes de la salsa de tomate, además de una saludable dosis de proteína, fibra, hierro, magnesio y zinc.

1   cucharada de aceite vegetal
1   libra de carne de res molida (o pavo, pollo o cerdo)
4   tazas de salsa de tomate condimentada
½   taza de chili en polvo (o más según el gusto)
2   cubos de caldo de res o 2 cucharadas de caldo de res en polvo (si se usa carne de res molida)
1   taza de cebolla picada
1   taza de apio picado
1   lata de 15 onzas de fríjol rojo, negro, cargamanto o cualquier otro que te parezca bueno (sin escurrir)

1.   Engrasar ligeramente el fondo de una cacerola de hierro fundido de dos litros.

2.   Dividir la carne molida en porciones del tamaño de una cucharada.

3.   Colocar la cacerola engrasada a fuego medio y agregar las porciones de carne molida.

4. Cocinar la carne hasta que esté de color café por debajo y luego dar vuelta a las porciones. Repetir este proceso hasta que las porciones estén doradas por todos lados. Aunque resulte un poco difícil, no se debe voltear la carne hasta que la parte inferior esté dorada.

5. Agregar la salsa de tomate, el chili en polvo, el caldo de carne, la cebolla, el apio y los fríjoles. Revolver.

6. Tapar la cacerola y cocinar a fuego medio (bajo hervor) durante 30 ó 40 minutos, revolviendo de vez en cuando.

Información nutricional por porción (1 taza, con carne): calorías: 194; proteína: 16 g (22%); fibra: 5 g (18 %); hierro: 4 mg (15%); magnesio: 75 mg (21%); zinc: 4.6 mg (42%); vitamina E: 2.4 mg (16%); folato: 60 mcg (10%); vitamina C: 8 mg (9%) y una buena cantidad de pigmentos antioxidantes que se encuentran en los tomates y los fríjoles.

TACO SUAVE CON QUESO AZUL

4 Porciones

Éste es un delicioso y suave taco que contiene un combinación de ingredientes que tal vez nunca te hayas imaginado usar como relleno. Cuando lo comas, tendrás en tus manos una porción completa de carne, verduras y legumbres.

½ libra de carne magra de res, molida (o de pollo o pavo)

¼ cucharadita de pimienta de cayena

¼ cucharadita de sal (o menos, según el gusto)

¼ cucharadita de pimienta negra

½ cucharadita de cebolla en polvo

4 tortillas de harina pequeñas

1½ tazas de repollo en tiras o mezcla de repollo, zanahoria y cebolla

¼ taza de aderezo de queso azul

1. Incorporar los condimentos a la carne molida.

2. Dorar la carne en un sartén de hierro fundido ligeramente engrasado. Escurrir la grasa.

3. Rellenar la tortilla con la carne y el repollo. Cubrir con aderezo de queso azul.
4. Enrollar la tortilla y ¡comérsela!

Información nutricional por porción (1 taco): calorías: 354; proteína: 22 g (31%); hierro: 2.5 mg (19%); magnesio: 65 mg (19%); zinc: 6 mg (55%).

Salmón cocido con salsa de eneldo

3 Porciones

Como puedes ver por la información nutricional que aparece al final de esta receta, el salmón es una gran fuente de EPA y DHA. Cómpralo natural o cultivado en lago.

3 tazas de agua
¼ cucharadita de sal
½ cucharadita de jugo de limón
3¼ libra de filetes de salmón

Salsa de eneldo

½ cucharadita de eneldo seco
¼ taza de yogur sin sabor bajo en grasa
¼ taza de crema agria
1 cucharadita de jugo de limón
⅛ cucharadita de sal

1. Poner a hervir el agua, la sal y el jugo de limón en una olla mediana.
2. Agregar el salmón y tapar la olla. Cocinar a fuego lento durante 15 minutos o hasta que el salmón no se vea crudo (de color más oscuro) en la mitad.
3. Servir el salmón con la salsa de eneldo. Nótese que la salsa se descompone si se calienta.

Información nutricional por porción (4 onzas de salmón con 2 cucharadas de salsa de eneldo): calorías: 321; proteína: 33 g (46%); calcio: 97 mg (10%); vitamina A: 138 mcg (18%); vitamina D: 10 mcg (200%); vitamina B$_{12}$: 6.8 mcg (262%); magnesio: 44 mg (13%); EPA + DHA: 1.800 mg (600%).

CERDO AL HORNO CON ZUMO DE MANZANA

5-6 Porciones

Preparada lentamente y con un delicioso sabor a manzana, esta sencilla receta te da un exquisito y tierno plato de cerdo. Puedes servirlo con lechuga y repollo, brócoli al vapor o ensalada de repollo, zanahoria y cebolla con mayonesa. En términos nutricionales, es una buena fuente de proteínas y minerales.

2 libras de cerdo magro
Sal
Pimienta
1 litro de zumo de manzana sin azúcar (no usar jugo
   de manzana)
salsa BBQ (opcional)

1. Precalentar el horno a 250° F.
2. Poner el cerdo en un recipiente para hornear. Espolvorear sal y pimienta al gusto (pimienta cayena, si se quiere un poco de picante) por encima de la carne.
3. Agregar el zumo de manzana y tapar.
4. Hornear a 250° F entre 2 y 3 horas, o hasta que la temperatura interior del cerdo alcance los 160° F en un termómetro para carnes.
5. Rociar la carne con la salsa BBQ precalentada, si se desea. También se puede agregar la salsa a los jugos de la carne y servir como salsa acompañante.

Información nutricional por porción (4 onzas de cerdo al horno): calorías: 252; proteína: 32 g (45%); zinc: 2.4 mg (22%).

Berenjena crocante al horno

¿Te gusta la berenjena? Esta receta te encantará. Con ella prepararás un plato para deleitar, crocante y suave que va muy bien con salsa de tomate condimentada. Vale la pena todos los platos que ensuciarás en su preparación. Además, proporciona EPA y DHA, proteína, fibra y folato.

1   berenjena mediana
Sal para saltear la berenjena
½   taza de harina
½   cucharadita de sal
½   cucharadita de pimienta negra
2   huevos omega
2   tazas de hojuelas de maíz trituradas (o miga de pan)
1   cucharada de ajo en polvo
1   cucharada de tempero italiano al gusto (aderezo hecho a base orégano, salsa, tomillo)

1.   Pelar y cortar la berenjena en rodajas de ½ cm de grosor. Colocarlas sobre una toalla de papel.
2.   Saltear generosamente las rodajas de berenjena por ambos lados. Dejar reposar entre 20 minutos y una hora; luego lavar muy bien las rodajas con agua para remover la sal. Secarlas con toallas de papel.
3.   Precalentar el horno a 400° F.
4.   Mezclar la sal y la pimienta con la harina en un recipiente de vidrio de un litro.
5.   Echar los huevos en un plato sopero y batirlos.
6.   Poner la miga de hojuelas de maíz o de pan en un recipiente de vidrio de un litro e incorporar el ajo en polvo y los condimentos.
7.   Cubrir cada rodaja de berenjena primero con la mezcla de harina (sacudir el exceso de harina); luego con los huevos y finalmente con la miga condimentada.

8. Colocar las rodajas de berenjena sobre una hoja de papel parafinado y hornear a 400° F durante 15 minutos por cada lado, o hasta que las rodajas estén doradas.

9. Si se desea, se pueden cubrir las rodajas con queso parmesano rallado o con queso mozarela después de sacarlas del horno. Servir con salsa de tomate condimentada.

Información nutricional por porción (¼ de receta): calorías: 280; proteína: 8 g (11%); fibra: 4 g (11%); folato: 200 mcg (33%).

CALABACÍN A LA PARILLA CON QUESO PARMESANO

4 Porciones

Con seguridad, esta receta enriquece el calabacín y mejora tu consumo de verduras. Compártela con tus amigos que lo cultivan.

4   calabacines pequeños (10 – 12 cm de largo)
2   cucharaditas de mantequilla o margarina, derretida
2   cucharadas de queso parmesano rallado

1. Limpiar los calabacines. Cortar cada uno por la mitad, a lo largo.

2. Hervir o cocinar al vapor los calabacines durante 2 ó 3 minutos, o hasta que estén blandos.

3. Poner los calabacines en una parilla con el lado del corte hacia arriba. Esparcir la mantequilla o margarina con una brocha y espolvorear el queso parmesano. Agregar una pizca de sal y pimienta si se desea.

4. Asar los calabacines hasta que la parte superior esté dorada.

Información nutricional por porción (2 mitades de calabacín, aproximadamente ¾ de taza): calorías: 51; calcio: 53 mg (5%); folato: 31 mcg (5%).

Col rizada y repollo

10 Porciones

Hablemos de lo que te hace bien: las coles rizadas y el repollo definen el concepto. Este plato comienza con una olla llena de hojas verdes y se reduce a 10 tazas. Lo puedes guardar en la nevera durante unos cuatro días o congelar el sobrante para usarlo después. Las coles rizadas son unas de las verduras más ricas en nutrientes que existen y el repollo pertenece a la familia de los crucíferos ricos en fitoquímicos. Mi amigo Coco McClain me enseñó a preparar este delicioso plato.

1 manojo (1 libra) de coles rizadas
⅓ de repollo
2 tazas de agua
½ cucharadita de sal
½ cucharadita de hojuelas secas de pimiento rojo
1 taza de pavo ahumado o jamón, en cubitos (opcional)

1. Separar las hojas de la col del manojo y lavarlas muy bien. Lavar el repollo.
2. Enrollar las hojas verdes de la col formando un cilindro apretado. Cortar las hojas al través en franjas de ½ cm de ancho. Remover el centro del repollo y cortar las hojas también en franjas de ½ cm de ancho.
3. Poner agua en una olla de 5 litros. Agregar la sal y las coles. Dejar que el agua hierva; ajustar el calor para mantener apenas el hervor y tapar la olla. Cocinar durante 30 minutos. Revolver de vez en cuando.
4. Agregar el repollo, las hojuelas secas de pimiento rojo y el pavo ahumado o el jamón (si se desea) y revolver. Cocinar a fuego lento, revolviendo de vez en cuando, durante 25 minutos o hasta que las coles y el repollo estén bien blandos.
5. Escurrir y servir con unas gotas de vinagre si se desea.

Información nutricional por porción (1 taza, con carne): calorías: 39; fibra: 2 g (7%); calcio: 79 mg (8%); vitamina A: 1237 mcg (161%); vitamina E: 3 mg (20%); folato: 63 mcg (11%); vitamina C: 19 mg (22%) y deliciosos fitoquímicos.

BATIDOS DE FRUTA

1 Porción

Los batidos de fruta son una excelente bebida para comenzar el día, lo mismo que un buen refrigerio antes de acostarte. Puedes hacerlos con durazno, mora, fresa, banano, salsa de manzana, piña, mango, papaya y muchos más tipos de fruta. Las frutas deben estar maduras o suficientemente blandas para que se mezclen suavemente con el yogur.

1   porción de fruta fresca
¼   taza de jugo de naranja
¼   taza de yogur bajo en grasa

1.   Poner la fruta, el jugo de naranja y el yogur en la licuadora. Tapar el vaso y licuar hasta que la mezcla esté suave.
2.   Endulzar con miel pasteurizada o con azúcar si es necesario.

Información nutricional por porción (1 porción, usando como fruta un durazno): calorías: 143; calcio: 124 mg (12%); vitamina C: 31 mg (36%).

REFRIGERIO NUTRITIVO

Rinde 3 ½ tazas

¿Quieres una alternativa a los refrigerios de las máquinas dispensadoras? He aquí uno, especialmente formulado para proporcionarte buen sabor y muchos nutrientes.

½   taza de nueces (las que desees)
½   taza de semillas de girasol (de cualquier tipo)
½   taza de chispitas de chocolate
1   taza de fruta deshidratada (como albaricoque, banano, papaya, piña, uvas pasas)
1   taza de granola simple

1.   Mezclar todos los ingredientes en un recipiente.

2.   Guardar la mezcla en un recipiente hermético. Lleva siempre contigo una pequeña cantidad en una bolsa de cierre hermético.

Información nutricional por porción (½ taza): calorías: 243; proteína: 4 g (6%); fibra: 4 g (14%); hierro: 1.7 mg (6%); magnesio: 57 mg (16%); zinc: 1.6 mg (15%); vitamina E: 2.7 mg (18%); folato: 101 mcg (17%).

SALSA DE TOMATE CONDIMENTADA

Rinde 8 tazas

No llamé a esta receta salsa para espagueti porque no quise restringir su uso. Es una salsa a base de tomate, económica, que sirve para todos los propósitos y va bien con berenjena, fríjoles, camarones y carne, lo mismo que con pasta. La salsa se usa en las recetas para preparar berenjena crocante al horno y chili con fríjoles y carne. Esta salsa, baja en calorías, mejorará tu consumo de licopeno (fitoquímico que actúa como antioxidante y le da el color rojo al tomate), fibra, hierro, magnesio, vitaminas A, E, C, y folato.

2   cucharadas de aceite de oliva
3   dientes de ajo pequeños
1   taza de perejil fresco picado
1   cucharadita de cebolla en polvo
2   cucharaditas de orégano deshidratado
1   lata de salsa de tomate de 28 onzas
1   lata de pasta de tomate de 28 onzas
2   tazas de jugo V8 (jugo de vegetales)
Sal y pimienta al gusto

1.   Pelar y cortar en rebanadas los dientes de ajo.
2.   Poner el aceite de oliva en una olla de 5 litros. Poner el fuego en medio y agregar el ajo. Continuar cocinando y darle la vuelta a las rebanadas de ajo hasta que estén completamente doradas (¡Felicitaciones si no quemaste el ajo!).
3.   Agregar las ramas de perejil picadas, la cebolla en polvo y el orégano a la olla y mezclar con el aceite y el ajo.

4. Incorporar la salsa de tomate, la pasta de tomate y el jugo V8.

5. Tapar la olla, dejar hervir la salsa, revolver y luego bajar el fuego. Cocinar la salsa en hervor suave durante 40 minutos o más, revolviendo de vez en cuando.

Información nutricional por porción (1 taza): calorías: 117; fibra: 4 g (14%); hierro: 3 mg (11%); magnesio: 54 mg (15%); vitamina A: 762 mcg (99%); vitamina E: 4.7 mg (31%); vitamina C: 49 mg (58%); folato: 111 mcg (19%), y una saludable cantidad del pigmento antioxidante licopeno (38 mg, ¡eso es bastante!)

ALMÍBAR DE FRUTA

Rinde 1 taza

Este almíbar está hecho de jugo de fruta al 100%. Es un complemento perfecto para los pancakes de suero de leche (ver el índice).

1 frasco o caja de 11.5 onzas de jugo congelado, concentrado al 100%, de toronja-durazno, manzana, uva u otra fruta.

1. Descongelar el jugo y vertirlo en una olla. Dejar que hierva sin tapa y luego bajar el fuego.

2. Cocinar en hervor suave durante 3 minutos hasta que espese.

Información nutricional por porción (1/3 taza, si se usa jugo de uva). Calorías: 221.

SALSA DE CARAMELO CALIENTE

Rinde 1 taza

Ésta es una buena alternativa frente a las salsas de caramelo disponibles en el mercado. Es buena para acompañar pedazos de fruta fresca y se puede guardar fácilmente en un recipiente hermético en la nevera. Se endurece como el caramelo cuando está fría y se puede derretir calentándola.

El chocolate tiene otros beneficios además de la buena salud mental: es buena fuente de flavanoles, un tipo importante de fitoquímicos para las mujeres embaraza-

das. Ten cuidado con la porción que sirves. Esta deliciosa salsa de chocolate es un poco alta en calorías.

2   tabletas de chocolate amargo (compra del bueno)
2   cucharadas de mantequilla o margarina
⅛ cucharadita de sal
½ taza de azúcar
¼ taza de crema de leche descremada
¼ cucharadita de vainilla

1. Derretir el chocolate y la mantequilla o margarina en una olla pequeña a fuego lento. Revolver con frecuencia; evita quemar el chocolate.
2. Agregar la sal y el azúcar. Continuar cocinando a fuego medio-bajo hasta que el azúcar se haya disuelto totalmente y la salsa esté suave.
3. Incorporar la mitad y mitad y calentar en hervor suave durante 1 minuto.
4. Retirar la olla del fuego e incorporar la vainilla.
5. Servir caliente.

Información nutricional por porción (2 cucharadas): calorías: 121; magnesio: 23 mg (7%); zinc: 0.7 mg (6%).

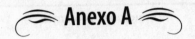

Anexo A

Información sobre
vitaminas y minerales

A. Vitaminas	Funciones primarias	Consecuencias de deficiencia
Tiamina (vitamina B1)	• Ayuda a que el cuerpo libere energía de los carbohidratos ingeridos • Facilita el crecimiento y mantenimiento de los tejidos nerviosos y musculares • Promueve el apetito normal	• Cansancio, debilidad • Desórdenes nerviosos, confusión mental, apatía • Crecimiento afectado • Inflamación • Irregularidad y deficiencia cardiaca
Riboflavina (vitamina B2)	• Ayuda a que el cuerpo capture y utilice la energía liberada de carbohidratos, proteínas y grasas • Ayuda a la división celular • Promueve el crecimiento y la reparación de tejidos • Favorece la visión normal	• Labios enrojecidos, grietas en la comisura de los labios • Cansancio
Niacina (vitamina B3)	• Ayuda a que el cuerpo capture y utilice la energía liberada de carbohidratos, proteínas y grasas • Ayuda en la producción de grasa corporal • Ayuda a mantener las funciones normales del sistema nervioso	• Desórdenes en la piel • Desórdenes nerviosos y mentales • Diarrea, indigestión • Fatiga

Consecuencias de sobredosis	Fuentes primarias de alimentos	Observaciones y notas
• Ninguna conocida. El alto consumo de tiamina se elimina rápidamente a través de los riñones	• Cereales y sus productos derivados (cereal, arroz, pasta, pan) • Cerdo y jamón, hígado • Leche, queso, yogur • Granos secos y nueces	• La deficiencia de tiamina es rara en Estados Unidos • Los cereales y granos enriquecidos previenen la deficiencia de tiamina
• Ninguna conocida. Las altas dosis se eliminan rápidamente a través de los riñones	• Leche, queso, yogur • Cereales y sus productos derivados (cereal, arroz, pasta, pan) • Hígado, aves, pescado • Huevos	• Se destruye por exposición a la luz
• Sofoco, dolor de cabeza, calambres, palpitación cardiaca acelerada con dosis superiores a 0.5 gramos por día	• Carnes (de todo tipo) • Cereales y sus productos derivados (cereal, arroz, pasta, pan) • Granos secos y nueces • Leche, queso, yogur • Café	• La niacina tiene un precursor: el triptofán. El triptofán, un aminoácido, es convertido en niacina por el cuerpo. Mucho de nuestro consumo de niacina proviene del triptofán. • Altas dosis elevan el nivel de colesterol HDL

	Funciones primarias	Consecuencias de deficiencia
Vitamina B6 (piridoxina)	• Necesaria para las reacciones que generan proteínas y tejidos proteínicos • Interviene en la conversión de triptofán en niacina • Necesaria para la producción normal de glóbulos rojos • Promueve el funcionamiento normal del sistema nervioso	• Irritabilidad, depresión • Convulsiones, tics nerviosos • Debilidad muscular • Dermatitis alrededor de los ojos • Anemia • Cálculos renales
Folato (folacín, ácido fólico)	• Necesario para las reacciones que utilizan aminoácidos (elementos constitutivos de las proteínas) para la formación de tejido proteínico • Favorece la producción normal de glóbulos rojos	• Anemia • Diarrea • Lengua enrojecida, partida • Defectos del tubo neural (durante embarazo), bebés de bajo peso • Mayor riesgo de enfermedades cardiacas e infarto
Vitamina B12 (cianocobalamina)	• Ayuda a mantener los tejidos nerviosos. • Aporta en las reacciones que generan tejidos proteínicos • Necesaria para el desarrollo normal de los glóbulos rojos	• Desórdenes neurológicos (nerviosismo, sensación de hormigueo, degeneración cerebral) • Anemia • Cansancio

Consecuencias de sobredosis	Fuentes primarias de alimentos	Observaciones y notas
• Dolor de huesos, pérdida de sensibilidad en dedos de manos y pies, debilidad muscular, entumecimiento, pérdida del equilibrio (esclerosis múltiple ficticia) • Sobredosis reportada en casos de consumo de dosis de 100 mg o más, durante 6 meses o más	• Avena, cereales fortificados • Banano, aguacate, ciruela • Pollo, hígado • Granos secos • Carnes (de todo tipo) • Verduras verdes y con hojas	• Las vitaminas van de la B3 a la B6 porque se encontró que B4 y B5 eran duplicados de vitaminas ya identificadas
• No se considera tóxica cuando los consumos son de 10 mg hasta por cuatro meses • Puede ocultar señales de deficiencia de vitamina B12 (anemia perniciosa)	• Verduras de color verde oscuro, con hojas • Brócoli, repollitos de Bruselas • Naranja, banano • Leche, queso, yogur • Hígado • Granos secos • Productos de cereales fortificados	• Folato significa "follaje". Se descubrió por primera vez en las verduras verdes y con hojas. • El calor destruye fácilmente esta vitamina • El ácido fólico es la forma en que mejor se absorbe
• Ninguna conocida. El exceso de vitamina B12 se elimina rápidamente a través de los riñones o no se absorbe en el torrente sanguíneo • Las inyecciones de vitamina B12 pueden causar una sensación temporal de mayor energía	• Productos animales: carne de res, cordero, hígado, cangrejo, almejas, pescado, aves, huevos • Leche y productos lácteos	• La gente mayor y los vegetarianos corren el riesgo de sufrir de deficiencia de vitamina B12 • Algunas personas sufren deficiencia de esta vitamina porque son genéticamente incapaces de absorberla • La vitamina B12 se encuentra únicamente en productos animales y microorganismos

	Funciones primarias	Consecuencias de deficiencia
Biotina	• Necesaria para la producción de grasas, proteínas y glucógeno	• Depresión, cansancio, náusea • Pérdida del cabello, piel reseca y escamosa • Dolor muscular
Ácido pantoténico (pantotenato)	• Necesario para la liberación de energía de grasas y carbohidratos	• Cansancio, perturbación del sueño, coordinación afectada • Vómito, náusea
Vitamina C (ácido ascórbico)	• Necesaria para la producción de colágeno • Ayuda al cuerpo a combatir infecciones y sanar heridas • Actúa como antioxidante • Favorece la absorción de hierro	• Fácil sangrado y moretones en la piel debido al debilitamiento de vasos sanguíneos, cartílagos y otros tejidos que contienen colágeno • Lenta recuperación de infecciones y sanación deficiente de heridas • Cansancio, depresión
Vitamina A 1. Retinol	• Necesaria para la formación y mantenimiento de las membranas mucosas, la piel y los huesos • Necesaria para la visión con poca luz	• Mayor susceptibilidad a las infecciones, mayor severidad de las mismas • Visión afectada • Incapacidad para ver en ambiente con poca luz

Consecuencias de sobredosis	Fuentes primarias de alimentos	Observaciones y notas
• Ninguna conocida. Los excesos se eliminan rápidamente	• Cereales y sus productos derivados • Carnes, granos secos, huevos cocidos • Verduras	• La deficiencia de esta vitamina es sumamente rara. Puede ser inducida por el consumo excesivo de huevo crudo
• Ninguna conocida. Los excesos se eliminan rápidamente	• Muchos alimentos contienen esta vitamina; entre ellos están: carnes, cereales, verduras, frutas y leche	• La deficiencia es muy rara
• El consumo de 1 gramo o más al día puede causar náusea, cólicos y diarrea, y puede aumentar el riesgo de cálculos renales	• Frutas: naranja, limón, lima, fresa, melón, toronja, kiwi, mango, papaya • Verduras: brócoli, pimentón rojo y verde, col rizada, tomate, espárrago	• La necesidad de esta vitamina es mayor en los fumadores (aproximadamente 125 mg por día) • El calor y el aire la destruyen fácilmente • Se puede desarrollar deficiencia en un lapso de tres semanas después de un consumo muy bajo de esta vitamina
• La toxicidad de la vitamina A puede resultar de dosis de 50.000 UI diarias. El consumo de esta vitamina a partir de suplementos se debe mantener por debajo de 5.000 IU diarias durante el embarazo • Náusea, irritabilidad, visión borrosa • Defectos de nacimiento • Daño hepático • Pérdida del cabello, piel reseca	• La vitamina A se encuentra únicamente en productos animales • Hígado, mantequilla, leche, queso, huevos	• Los síntomas de una toxicidad de vitamina A pueden ser semejantes a los de un tumor cerebral o una enfermedad hepática. La toxicidad a veces se diagnostica mal debido a la similitud de los síntomas • 1 mcg de retinol = 3.3 UI de Vitamina A o 12 mcg de betacaroteno

	Funciones primarias	Consecuencias de deficiencia
2. Betacaroteno (un precursor de vitamina A, o "provitamina")	• Actúa como antioxidante; previene el daño de membranas y contenido celular, reparando el daño causado por los radicales libres	• Enfermedad por deficiencia asociada únicamente con falta de vitamina A
Vitamina E (tocoferol)	• Actúa como antioxidante; previene el daño de las membranas celulares en los glóbulos, los pulmones y otros tejidos, reparando el daño causado por radicales libres • Reduce la capacidad del colesterol LDL (colesterol "malo") para formar placas en las arterias	• Pérdida muscular, daño en nervios • Anemia • Debilidad
Vitamina D (125 dihidroxicolecalciferol)	• Necesaria para la absorción de calcio y fósforo en la barriga y en los huesos	• Huesos débiles, deformados (niños) • Pérdida de calcio en los huesos (adultos) • El nivel inadecuado de vitamina D puede ser común

Consecuencias de sobredosis	Fuentes primarias de alimentos	Observaciones y notas
• Las altas dosis por consumo en suplementos (más de 12 mg por día durante varios meses) puede volver la piel amarillenta y dañar los pulmones • Posiblemente relacionada con pérdida reversible de fertilidad en las mujeres	• Verduras y frutas de color amarillo fuerte, naranja y verde, tales como zanahorias, patatas dulces, calabaza, espinaca, pimentón rojo, brócoli, melón, albaricoque	• El cuerpo convierte el betacaroteno en vitamina A. Hay otros carotenos presentes en los alimentos y algunos de ellos son transformados en vitamina A. Sin embargo, el betacaroteno y la vitamina A tienen funciones distintas en el cuerpo
• El consumo de hasta 400 UI diarias no tiene relación con efectos tóxicos secundarios	• Aceites y grasas • Aderezos para ensalada, mayonesa, margarina, mantequilla • Cereales integrales, germen de trigo • Verduras verdes con hojas • Nueces y semillas • Huevos	• La vitamina E se destruye por exposición al oxígeno y al calor • Los aceites contienen vitamina E de manera natural. Está allí para evitar que la grasa se descomponga debido a los radicales libres • Los suplementos no hacen "sexy" a la gente • 1 mg de α-tocoferol = 1.49 UI
• Retardo mental en niños pequeños • Crecimiento y formación ósea anormales • Náusea, diarrea, irritabilidad, pérdida de peso • Depósito de calcio en órganos tales como los riñones, el hígado y el corazón	• La vitamina D está presente únicamente en productos animales y productos fortificados • Leche y margarina fortificadas con vitamina D • Mantequilla • Pescado • Huevos • El queso, el yogur y el helado generalmente no vienen fortificados con vitamina D	• Los consumos no deben ser superiores a 1.200 UI por día • La vitamina D se produce a partir del colesterol de las células situadas debajo de la superficie de la piel cuando ésta se expone al sol • Los niveles de consumo recomendados (año 2005) pueden ser bajos

	Funciones primarias	Consecuencias de deficiencia
Vitamina K (filoquinona, menaquinona)	• Es un componente esencial de los mecanismos que permiten la coagulación de la sangre cuando hay sangrado • Ayuda a la incorporación del calcio en los huesos	• Sangrado, moretones • Reducción de calcio en los huesos • La deficiencia es rara. Puede ser inducida por el uso de antibióticos durante largo tiempo (meses o más)

B. Minerales

Calcio	• Componente de huesos y dientes • Necesario para la actividad de músculos y nervios, y para la coagulación de la sangre	• Huesos débiles, con pocos minerales • Crecimiento estancado en los niños • Convulsiones, espasmos musculares • Contribuye a la osteoporosis
Fósforo	• Componente de huesos y dientes • Componente de ciertas enzimas y otras sustancias involucradas en la producción de energía • Necesario para mantener el equilibrio entre ácidos y bases en los fluidos del cuerpo	• Pérdida del apetito • Náusea, vómito • Debilidad • Confusión • Pérdida de calcio en los huesos

Consecuencias de sobredosis	Fuentes primarias de alimentos	Observaciones y notas
• La toxicidad es sólo un problema cuando se ingieren las formas sintéticas de la vitamina K en cantidades excesivas	• Vegetales verdes, con hojas • Productos cereales	• La vitamina K es producida por bacterias que se albergan en la barriga. Una parte de tu suministro de vitamina K proviene de esas bacterias • A los recién nacidos se les aplican inyecciones de vitamina K porque su barriguita es "estéril" y, en consecuencia, no tiene bacterias que produzcan esta vitamina
• Mareo • Depósitos de calcio en los riñones, hígado y otros tejidos • Supresión de la remodelación de los huesos • El consumo diario máximo que se considera seguro es 2.5 gramos	• Leche y productos lácteos (queso, yogur) • Espinaca, col rizada, brócoli • Jugo de naranja fortificado • Granos secos	• El consumo promedio de calcio entre las mujeres estadounidenses es 60% del recomendado • Una de cada cuatro mujeres estadounidenses desarrolla osteoporosis
• Pérdida de calcio en los huesos • Espasmos musculares	• Leche y productos lácteos (queso, yogur) • Carnes • Semillas, nueces • Fosfatos adicionados a los alimentos	• La deficiencia de este mineral está generalmente asociada con procesos de enfermedad

	Funciones primarias	Consecuencias de deficiencia
Magnesio	• Componente de huesos y dientes • Necesario para la actividad de los nervios • Activa las enzimas involucradas en la producción de energía y de proteínas	• Crecimiento atrofiado en los niños • Debilidad • Espasmos musculares • Cambios de personalidad
Hierro	• Transporta oxígeno como componente de la hemoglobina en los glóbulos rojos • Componente de la mioglobina (proteína de los músculos) • Necesario para ciertas reacciones que implican producción de energía	• Deficiencia de hierro • Anemia ferropénica (por deficiencia de hierro) • Debilidad, cansancio • Palidez • Lapsos de atención reducidos y menor resistencia a las infecciones
Zinc	• Indispensable para la activación de muchas enzimas involucradas en la producción de proteínas • Componente de la insulina	• Problemas de crecimiento • Madurez sexual retardada • Sanación lenta de heridas • Pérdida del gusto y el apetito • Durante el embarazo, bebés de bajo peso y parto prematuro

Consecuencias de sobredosis	Fuentes primarias de alimentos	Observaciones y notas
• Diarrea • Deshidratación • Actividad nerviosa afectada debido a la inadecuada utilización del calcio	• Alimentos vegetales (granos secos, tofu, nueces, arroz integral, verduras de color verde) • Panes y cereales • Café	• El magnesio se encuentra principalmente en los alimentos vegetales, en los que se encuentra adherido a la clorofila. • El consumo promedio entre las mujeres estadounidenses es relativamente adecuado
• "Envenenamiento ferroso" • Hemocromatosis hereditaria • Vómito, dolor abdominal • Coloración azul de la piel • Shock • Fallas cardiacas • Diabetes	• Hígado, carne de res, cerdo • Granos secos • Cereales fortificados con hierro • Ciruela, albaricoque, uvas pasas • Espinaca	• Cocinar los alimentos, especialmente los ácidos como el tomate, en ollas de hierro fundido, aumenta fuertemente su contenido de hierro • La deficiencia de hierro es la deficiencia nutricional más común en todo el mundo • El consumo promedio de hierro entre las mujeres estadounidenses es bajo • La vitamina C aumenta la cantidad de hierro que se absorbe de los alimentos vegetales
• El consumo de más de 25 mg diarios está asociado con náusea, vómito, debilidad, cansancio, propensión a la infección, deficiencia de cobre	• Carnes (de todo tipo) • Cereales • Nueces • Leche y productos lácteos (queso, yogur)	• Carnes (de todo tipo) • Cereales • Nueces • Leche y productos lácteos (queso, yogur)

	Funciones primarias	Consecuencias de deficiencia
Yodo	• Componente de hormonas de la tiroides que ayudan a regular la producción de energía y el crecimiento	• Coto • Cretinismo en recién nacidos (retardo mental, pérdida de la audición, problemas de crecimiento)
Selenio	• Actúa como antioxidante junto con la vitamina E (protege a las células del daño que puedan sufrir al ser expuestas al sol)	• Anemia • Dolor y flacidez muscular • Enfermedad de "Keshan" • Fallas cardiacas

Consecuencias de sobredosis	Fuentes primarias de alimentos	Observaciones y notas
• Más de 1 mg por día puede producir espinillas, coto y funcionamiento deficiente de la tiroides	• Sal yodada • Leche y productos lácteos • Algas marinas, mariscos • Pan de panaderías comerciales	• La deficiencia de yodo fue un problema importante en Estados Unidos en las décadas de los años 1920 y 1930. Sigue siendo un problema de salud en algunos países en vía de desarrollo • La cantidad de yodo en las plantas depende del contenido de yodo del suelo • Mucho del yodo en nuestra dieta proviene de la adición incidental de yodo a la comida a través de los compuestos que se usan para limpiar los alimentos
• Las dosis superiores a 2 mg diarios están asociadas con "selenosis". Los síntomas de esta enfermedad son pérdida del cabello y debilitamiento de las uñas, debilidad, daño hepático, irritabilidad, aliento a ajo, sabor a metal en la boca	• Carnes y mariscos • Huevos • Cereales integrales	• El contenido de selenio en los alimentos depende de la cantidad que haya en el suelo, en el agua y en lo que se da de comer a los animales • Puede tener un papel en la prevención de algunos tipos de cáncer

	Funciones primarias	Consecuencias de deficiencia
Cobre	• Componente de enzimas involucradas en la utilización que el cuerpo hace del hierro, el oxígeno, el colesterol y la glucosa	• Anemia • Ataques • Anomalías en nervios y huesos en los niños • Problemas de crecimiento
Fluoruro	• Componente de huesos y dientes (esmalte)	• Caries y otras enfermedades dentales
Manganeso	• Necesario para la formación de grasa corporal y huesos	• Pérdida de peso • Sarpullido • Náusea y vómito
Cromo	• Indispensable para la utilización normal de la glucosa	• Control deficiente de glucosa en la sangre • Pérdida de peso
Molibdeno	• Componente de enzimas involucradas en la transferencia de oxígeno de una molécula a otra	• Ritmo cardiaco y respiración acelerados • Náusea, vómito • Coma

Consecuencias de sobredosis	Fuentes primarias de alimentos	Observaciones y notas
• Enfermedad de Wilson (acumulación excesiva de cobre en el hígado y los riñones) • Vómito, diarrea • Temblor • Enfermedad hepática	• Ostras, langosta, cangrejo • Hígado • Cereales • Granos secos • Nueces y semillas	• La toxicidad puede resultar del uso de cañerías y ollas de cobre • Se cree que el consumo promedio de cobre en Estados Unidos es relativamente poco
• "Fluorosis" • Huesos quebradizos • Dientes manchados • Anomalías del sistema nervioso	• Agua fluorizada y alimentos y bebidas preparados con ella • Té • Camarones, cangrejo	• Las cremas dentales, los enjuagues bucales y otros productos para el cuidado dental pueden proporcionar flúor • La ingestión de crema dental fluorizada ha llegado a causar sobredosis de flúor
• Infertilidad en los hombres • Trastornos del sistema nervioso (síntomas sicóticos) • Espasmos musculares	• Cereales integrales • Café, té • Granos secos • Nueces	• La toxicidad está asociada con sobreexposición a polvo de manganeso en las minas
• Problemas en los riñones y la piel	• Cereales integrales • Hígado, carne • Cerveza, vino	• La toxicidad usualmente resulta de la exposición a este mineral en las industrias donde se fabrica
• Pérdida de cobre en el cuerpo • Dolor en las articulaciones • Problemas de crecimiento • Anemia • Coto	• Granos secos • Cereales • Verduras de color verde oscuro • Hígado • Leche y productos lácteos	• La deficiencia es extraordinariamente rara

	Funciones primarias	Consecuencias de deficiencia
Sodio	• Necesario para mantener el equilibrio adecuado entre ácidos / bases en los fluidos del cuerpo • Ayuda a mantener una cantidad adecuada de agua en la sangre y los tejidos del cuerpo • Necesario para la actividad de músculos y huesos	• Debilidad • Apatía • Inapetencia • Calambres musculares • Dolor de cabeza • Inflamación
Potasio	• Las mismas que el sodio	• Debilidad • Irritabilidad, confusión mental • Ritmo cardiaco irregular • Parálisis
Cloro	• Componente del ácido hidroclórico segregado por el estómago (empleado en la digestión) • Necesario para mantener el equilibrio adecuado entre ácidos / bases en los fluidos del cuerpo • Ayuda a mantener una cantidad adecuada de agua en el cuerpo	• Calambres musculares • Apatía • Inapetencia

Consecuencias de sobredosis	Fuentes primarias de alimentos	Observaciones y notas
• Alta presión arterial en personas sensibles a este mineral • Enfermedad renal • Problemas cardiacos	• Alimentos procesados con sal • Alimentos curados (carne, jamón, tocineta o pepinillos en conserva, chucrut) • Sal de mesa y sal marina	• Muy pocos alimentos contienen sodio de manera natural • Los alimentos procesados son la principal fuente del sodio que consumimos en la dieta • Las dietas altas en sodio están asociadas con el desarrollo de hipertensión en personas "sensibles a la sal"
• Ritmo cardiaco irregular, infarto	• Alimentos vegetales (papa, zapallo, fríjol blanco, plátano, banano, naranja, aguacate) • Carnes • Leche y productos lácteos • Café	• El potasio contenido en los vegetales generalmente se reduce al procesar los alimentos • Los diuréticos y otros medicamentos contra la hipertensión pueden reducir el potasio • Los sustitutos de la sal con frecuencia contienen potasio
• Vómito	• Las mismas que para el sodio (la mayor parte del cloro que consumimos en la dieta proviene de la sal)	• El exceso de vómito y diarrea puede causar deficiencia de cloro

Fuentes: FDA (Food and Drug Administration), Departamento de Salud y Servicios Humanos. Etiquetas nutricionales. Registro Federal, 27 de noviembre de 1991. Academia Nacional de Ciencias (Instituto de Medicina). Consumos Alimenticios de Referencia. Washington, D.C: National Academies Press, 1997-2002.

Alimentos que contienen vitaminas y minerales

A. Vitaminas

Vitamina A (Retinol)

Alimento	Vitamina A (Retinol) Cantidad	mcg
Carnes		
Hígado	3 onzas	9124
Salmón	3 onzas	53
Huevos		
Huevo	1 mediano	84
Leche y productos lácteos		
Leche descremada fortificada	1 taza	149
Leche, 2% grasa	1 taza	139
Queso procesado	1 onza	82
Leche entera	1 taza	76
Queso suizo	1 onza	65
Grasas		
Margarina fortificada	1 cucharadita	46
Mantequilla	1 cucharadita	38

Betacaroteno

Alimento	Betacaroteno	
	Cantidad	mcg RE
Verduras		
Calabaza	½ taza	2712
Papa dulce	½ taza	1935
Zanahoria cruda	1 mediana	1913
Espinaca cocida	½ taza	739
Coles rizadas cocidas	½ taza	175
Brócoli	½ taza	109
Zapallo de invierno o ahuyama	½ taza	53
Pimentón verde	½ taza	40
Frutas		
Melón	¼	430
Albaricoque, enlatado	½ taza	210
Nectarina o durazno	1	101
Sandía	2 tazas	59
Durazno enlatado	½ taza	47
Papaya	½ taza	20

Vitamina D

Alimento	Vitamina D	
	Cantidad	mcg
Leche		
Leche entera, baja en grasa o descremada	1 vaso	2.5
Pescado y comida de mar		
Salmón	3 onzas	8.5
Atún	3 onzas	3.8
Camarones	3 onzas	3.2
Vísceras		
Hígado de res	3 onzas	1.0
Hígado de pollo	3 onzas	1.0
Huevos		
Yema de huevo	1	0.7

Vitamina E

Alimento	Vitamina E	
	Cantidad	**mg**
Aceites		
Aceite	1 cucharada	4.5
Mayonesa	1 cucharada	2.3
Margarina	1 cucharada	1.8
Aderezo para ensalada	1 cucharada	1.5
Nueces y semillas		
Semillas de girasol	¼ taza	18.2
Almendras	¼ taza	8.5
Maní	¼ taza	3.3
Castañas de cajú	¼ taza	0.5
Verduras		
Papa dulce	½ taza	4.6
Coles rizadas	½ taza	2.1
Espárragos	½ taza	1.4
Espinaca cruda	1 taza	1.0
Cereales		
Germen de trigo	2 cucharadas	2.8
Pan integral	1 tajada	1.7
Pan blanco	1 tajada	0.8
Comida de mar		
Cangrejo	3 onzas	3.0
Camarones	3 onzas	2.5
Pescado	3 onzas	1.6

Vitamina C

Alimento	Vitamina C	
	Cantidad	mg
Frutas		
Jugo de naranja con vitamina C	1 taza	108
Kiwi	1 ó ½ taza	108
Naranja	1	85
Jugo o coctel de arándano	¾ taza	68
Melón	¼	63
Jugo de naranja	6 onzas	62
Jugo de uva	6 onzas	57
Toronja	½	51
Fresas	½ taza	48
Jugo V8	¾ taza	45
Jugo de tomate	¾ taza	33
Frambuesas	½ taza	18
Sandía o patilla	1 taza	15
Verduras		
Pimentón verde	½ taza	95
Coliflor crudo	½ taza	75
Brócoli	½ taza	70
Repollitos de Bruselas	½ taza	65
Coles rizadas	½ taza	48
Jugo V8 de verduras	¾ taza	45
Jugo de tomate	¾ taza	33
Coliflor cocido	½ taza	30
Papa	1	29
Tomate	½	23

Tiamina

Alimento	Tiamina Cantidad	mg
Carnes		
Cerdo asado	3 onzas	0.8
Carne de res	3 onzas	0.4
Jamón	3 onzas	0.4
Hígado	3 onzas	0.2
Nueces y semillas		
Semillas de girasol	¼ taza	0.7
Maní	¼ taza	0.1
Almendras	¼ taza	0.1
Cereales		
Hojuelas de salvado	1 taza	0.6
Macarroni	1 taza	0.2
Arroz	1 taza	0.2
Pan	1 tajada	0.1
Verduras		
Arvejas	½ taza	0.3
Fríjol blanco	½ taza	0.2
Maíz	½ taza	0.1
Brócoli	½ taza	0.1
Papa	1	0.1
Frutas		
Jugo de naranja	1 taza	0.2
Naranja	1	0.1
Aguacate	½	0.1

Riboflavina

Alimento	Riboflavina	
	Cantidad	mg
Leche y productos lácteos		
Leche entera	1 taza	0.5
Leche baja en grasa	1 taza	0.5
Yogur bajo en grasa	1 taza	0.5
Leche descremada	1 taza	0.4
Yogur	1 taza	0.1
Queso americano	1 onza	0.1
Queso Cheddar	1 onza	0.1
Carnes		
Hígado	3 onzas	3.6
Chuleta de cerdo	3 onzas	0.3
Carne de res	3 onzas	0.2
Atún	½ taza	0.1
Verduras		
Coles rizadas	½ taza	0.3
Brócoli	½ taza	0.2
Espinaca cocida	½ taza	0.1
Huevos		
Huevo	1	0.2
Cereales		
Macarrón	1 taza	0.1
Pan	1 tajada	0.1

Niacina

Alimento	Niacina	
	Cantidad	mg
Carnes		
Hígado	3 onzas	14.0
Atún	½ taza	10.3
Pavo	3 onzas	9.5
Pollo	3 onzas	7.9
Salmón	3 onzas	6.9
Ternera	3 onzas	5.2
Carne de res (lomo)	3 onzas	5.1
Cerdo	3 onzas	4.5
Pescado abadejo	3 onzas	2.7
Vieira	3 onzas	1.1
Nueces y semillas		
Maní	1 onza	4.9
Verduras		
Espárragos	½ taza	1.5
Cereales		
Germen de trigo	1 onza	1.5
Arroz integral	½ taza	1.2
Fideos, enriquecidos	½ taza	1.0
Arroz blanco enriquecido	½ taza	1.0
Pan, enriquecido	1 tajada	0.7
Leche y productos lácteos		
Requesón	½ taza	2.6
Leche	1 taza	1.9

Vitamina B$_6$

Alimento	Vitamina B$_6$ Cantidad	mg
Carnes		
Hígado	3 onzas	0.8
Salmón	3 onzas	0.7
Otros pescados	3 onzas	0.6
Pollo	3 onzas	0.4
Jamón	3 onzas	0.4
Hamburguesa	3 onzas	0.4
Ternera	3 onzas	0.4
Cerdo	3 onzas	0.3
Carne de res	3 onzas	0.2
Huevos		
Huevo	1	0.3
Legumbres		
Habas	½ taza	0.6
Granos secos cocidos	½ taza	0.4
Frutas		
Banano	1	0.6
Aguacate	½	0.4
Sandía	1 taza	0.3
Verduras		
Nabo	½ taza	0.7
Repollitos de Bruselas	½ taza	0.4
Papa	1	0.2
Papa dulce	½ taza	0.2
Zanahoria	½ taza	0.2
Arveja	½ taza	0.1

Folato

Alimento	Folato	
	Cantidad	**mcg**
Verduras		
Fríjoles	½ taza	128
Espárragos	½ taza	120
Repollitos de Bruselas	½ taza	116
Habas	½ taza	102
Espinaca cocida	½ taza	99
Lechuga romana	1 taza	86
Fríjol blanco	½ taza	71
Arveja	½ taza	70
Coles rizadas cocidas	½ taza	56
Papa dulce	½ taza	43
Brócoli	½ taza	43
Frutas		
Melón	¼	100
Jugo de naranja	1 taza	87
Naranja	1	59
Cereales*		
Cereales para el desayuno	1 taza	100–400
Avena	½ taza	97
Germen de trigo	¼ taza	80
Arroz	½ taza	37

*   Los productos refinados de cereales, tales como el pan, el arroz blanco y la pasta, vienen fortificados con ácido fólico y proporcionan aproximadamente 40 mcg de folato por porción.

Vitamina B$_{12}$

Alimento	Vitamina B$_{12}$	
	Cantidad	mcg
Carnes		
Hígado	3 onzas	6.8
Trucha	3 onzas	3.6
Carne de res	3 onzas	2.2
Almejas	½ taza	2.0
Cangrejo	3 onzas	1.8
Codero	3 onzas	1.8
Atún	½ taza	1.8
Ternera	3 onzas	1.7
Hamburguesa, normal	3 onzas	1.5
Leche y productos lácteos		
Leche descremada	1 taza	1.0
Leche	1 taza	0.9
Yogur	1 taza	0.8
Requesón	½ taza	0.7
Queso americano	1 onza	0.2
Queso cheddar	1 onza	0.2
Huevos		
Huevo	1	0.6

B. Minerales

Calcio

Alimento	Calcio	
	Cantidad	mg
Leche y productos lácteos		
Yogur bajo en grasa	1 taza	415
Yogur con fruta, bajo en grasa	1 taza	315
Leche descremada	1 taza	300
Leche, 1% grasa	1 taza	300
Leche, 2% grasa	1 taza	298
Leche entera	1 taza	288
Queso suizo	1 onza	270
Queso cheddar	1 onza	205
Yogur para comer	1 taza	200
Sopa en crema	1 taza	186
Pudín	½ taza	185
Helado	1 taza	180
Helado de leche descremada	1 taza	180
Queso americano	1 onza	175
Natilla	½ taza	150
Requesón	½ taza	70
Requesón bajo en grasa	½ taza	69
Verduras		
Espinaca cocida	½ taza	122
Coles rizadas cocidas	½ taza	110
Col verde	½ taza	47
Brócoli	½ taza	36
Legumbres		
Tofu	½ taza	260
Granos secos cocidos	½ taza	60
Fríjol blanco	½ taza	40
Otros		
Jugo de naranja fortificado con calcio	1 taza	100

Fósforo

Alimento	Fósforo Cantidad	mg
Leche y productos lácteos		
Yogur	1 taza	327
Leche descremada	1 taza	250
Leche entera	1 taza	250
Requesón	½ taza	150
Queso americano	1 onza	130
Carnes		
Cerdo	3 onzas	275
Hamburguesa	3 onzas	165
Atún	3 onzas	162
Langosta	3 onzas	125
Pollo	3 onzas	120
Nueces y semillas		
Semillas de girasol	¼ taza	319
Maní	¼ taza	141
Piñones	¼ taza	106
Mantequilla de maní	1 cucharada	61
Cereales		
Hojuelas de salvado	1 taza	180
Cereal para el desayuno	2 tazas	81
Pan de trigo integral	1 tajada	52
Verduras		
Papa	1 mediana	101
Maíz	½ taza	73
Arvejas	½ taza	70
Papas a la francesa	½ taza	61
Brócoli	½ taza	54

Magnesio

Alimento	Magnesio	
	Cantidad	**mg**
Legumbres		
Lentejas cocidas	½ taza	134
Habas cocidas	½ taza	134
Tofu	½ taza	130
Nueces		
Maní	¼ taza	247
Castañas de cajú	¼ taza	93
Almendras	¼ taza	80
Cereales		
Salvado	1 taza	240
Arroz cocido	½ taza	119
Cereal para el desayuno,	1 taza	85
fortificado	2 cucharadas	45
Germen de trigo		
Verduras		
Fríjol germinado	½ taza	98
Habas	½ taza	58
Espinaca cocida	½ taza	48
Fríjol blanco	½ taza	32
Leche y productos lácteos		
Leche	1 taza	30
Queso cheddar	1 onza	8
Queso americano	1 onza	6
Carnes		
Pollo	3 onzas	25
Carne de res	3 onzas	20
Cerdo	3 onzas	20

Hierro

Alimento	Hierro Cantidad	mg
Carnes y granos secos		
Hígado	3 onzas	7.5
Lomo de res	3 onzas	3.0
Hamburguesa magra	3 onzas	3.0
Granos al horno	½ taza	3.0
Cerdo	3 onzas	2.7
Fríjol blanco	½ taza	2.7
Soya	½ taza	2.5
Cerdo con fríjoles	½ taza	2.3
Pescado	3 onzas	1.0
Pollo	3 onzas	1.0
Cereales		
Cereal para el desayuno, fortificado con hierro	1 taza	8.0 (4–18)
Avena fortificada	1 taza	8.0
Rosquillas	1	1.7
Muffin inglés	1	1.6
Pan de centeno	1 tajada	1.0
Pan integral	1 tajada	0.8
Pan blanco	1 tajada	0.6
Frutas		
Jugo de ciruelas pasas	6 onzas	7.0
Albaricoque deshidratado	½ taza	2.5
Ciruelas pasas	5 medianas	2.0
Uvas pasas	¼ taza	1.3
Ciruelas	3 medianas	1.1
Verduras		
Espinaca cocida	½ taza	2.3
Fríjol blanco	½ taza	2.2
Habas	½ taza	1.7
Arvejas	½ taza	1.6
Espárragos	½ taza	1.5

Zinc

Alimento	Zinc	
	Cantidad	**mg**
Carnes		
Hígado	3 onzas	4.6
Carne de res	3 onzas	4.0
Cangrejo	½ taza	3.5
Cordero	3 onzas	3.5
Jamón de pavo	3 onzas	2.5
Cerdo	3 onzas	2.4
Pollo	3 onzas	2.0
Legumbres		
Granos secos cocidos	½ taza	1.0
Habas cocidas	½ taza	0.9
Cereales		
Cereal para el desayuno, fortificado	1 taza	1.5–4.0
Germen de trigo	2 cucharadas	2.4
Arroz integral	1 taza	1.2
Avena	1 taza	1.2
Hojuelas de salvado	1 taza	1.0
Arroz blanco	1 taza	0.8
Nueces y semillas		
Nuez de pecana	¼ taza	2.0
Castañas de cajú	¼ taza	1.8
Semillas de girasol	¼ taza	1.7
Mantequilla de maní	2 cucharadas	0.9
Leche y productos lácteos		
Queso cheddar	1 onza	1.1
Leche entera	1 taza	0.9
Queso americano	1 onza	0.8

Selenio

Alimento	Selenio	
	Cantidad	mg
Comida de mar		
Langosta	3 onzas	66
Atún	3 onzas	60
Camarones	3 onzas	54
Ostras	3 onzas	48
Pescado	3 onzas	40
Carnes		
Hígado	3 onzas	56
Jamón	3 onzas	29
Carne de res	3 onzas	22
Tocineta	3 onzas	21
Pollo	3 onzas	18
Cordero	3 onzas	14
Ternera	3 onzas	10
Huevos		
Huevo	1	37

Sodio

Alimento	Sodio Cantidad	mg
Varios		
Sal	1 cucharadita	2132
Pepinillo en vinagre al eneldo	1 (4 ½ onzas)	1930
Sal marina	1 cucharadita	1716
Caldo de pollo	1 taza	1571
Raviolis enlatados	1 taza	1065
Espagueti con salsa, enlatado	1 taza	955
Bicarbonato de sodio	1 cucharadita	821
Caldo de carne	1 taza	782
Salsa de carne	¼ taza	720
Aderezo italiano	2 cucharadas	720
Pretzels	5 (1 onza)	500
Aceitunas verdes	5	465
Pizza con queso	1 porción	455
Salsa de soya	1 cucharadita	444
Carnes		
Carne en conserva	3 onzas	808
Jamón	3 onzas	800
Pescado enlatado	3 onzas	735
Rollo de carne	3 onzas	555
Salchicha	3 onzas	483
Perro caliente	1	477
Pescado ahumado	3 onzas	444

Potasio

	Potasio	
Alimento	**Cantidad**	**mg**
Verduras		
Papa	1 mediana	780
Zapallo de invierno o ahuyama	½ taza	327
Tomate	1 mediano	300
Apio	1 tallo	270
Zanahoria	1 mediana	245
Brócoli	½ taza	205
Frutas		
Aguacate	½ mediano	680
Banano	1 mediano	440
Jugo de naranja	6 onzas	375
Uvas pasas	¼ taza	370
Sandía o patilla	2 tazas	315
Ciruelas pasas	4 grandes	300
Carnes		
Pescado	3 onzas	500
Hamburguesa	3 onzas	480
Cordero	3 onzas	382
Cerdo	3 onzas	335
Pollo	3 onzas	208
Cereales		
Salvado	1 taza	1080
Hojuelas de salvado	1 taza	248
Salvado con uvas pasas	1 taza	242
Hojuelas de trigo	1 taza	96
Leche y productos lácteos		
Yogur	1 taza	531
Leche descremada	1 taza	400
Leche entera	1 taza	370
Otros		
Sustitutos de sal	1 cucharadita	1300–2378

Yodo

| Alimento | Yodo | |
	Cantidad	mg
Sal		
Sal yodada	1 cucharadita	400
Pescado y comida de mar		
Pescado abadejo	3 onzas	125
Bacalao	3 onzas	87
Camarones	3 onzas	30
Otros		
Pan	1 onza	35–142
Requesón	½ taza	50
Huevo	1	22
Queso cheddar	1 onza	17

El contenido de yodo de los alimentos varía dependiendo de las condiciones de crecimiento de los mismos y del uso de yodo en la limpieza de los equipos en los que se preparan. El pescado y las algas marinas como el nori generalmente son una buena fuente de yodo.

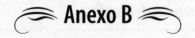

Anexo B

Conversión de medidas al sistema métrico

Conversión de medidas de volumen

Estados Unidos	Sistema métrico
¼ cucharadita	1.25 ml
½ cucharadita	2.5 ml
¾ cucharadita	3.75 ml
1 cucharadita	5 ml
1 cucharada	15 ml
¼ taza o vaso	62.5 ml
½ taza o vaso	125 ml
¾ taza o vaso	187.5 ml
1 taza o vaso	250 ml

Conversión de medidas de peso

Estados Unidos	Sistema métrico
1 onza	28.4 g
8 onzas	227.5 g
16 onzas (1 libra)	455 g

Conversión de temperaturas de cocción

Grados Farenheit	Grados Celsius / Centígrados
Fahrenheit estableció los 0° F como la temperatura estable a la cual se mezclan cantidades iguales de hielo, agua y sal.	Los 0° C y los 100° C se fijaron arbitrariamente como los puntos de fusión y ebullición del agua y son estándares para el sistema métrico

Para convertir temperaturas de °F a °C, utiliza esta fórmula:

$$C = (F - 32) \times 0.5555$$

Por ejemplo, si estás horneando algo a 350° F y quieres saber a cuánto equivale esa temperatura en °C, haz este cálculo:

$$C = (350 - 32) \times 0.5555 = 176.66° \, C$$

Agradecimientos

Siento profunda gratitud por todos aquellos que han orientado mi interés hacia la producción de ese gramo de prevención que vale una libra de curación. Mi hija Amanda y mi hijo Max despertaron mi interés en este campo. He aprendido muchas lecciones sobre el gramo nutricional de prevención de personas como Agnes Higgins, antigua directora del Montreal Diet Dispensary; de Howard Jacobson y Charles Mahan, obstetras que promueven la prevención; y de Sally Lederman de la Universidad de Colombia, quien tiene la capacidad de ver con claridad diáfana los efectos de la nutrición en el embarazo. He tenido la oportunidad de aprender sobre nutrición y embarazo, y de escribir, enseñar y asesorar en este campo que conocí gracias al apoyo del Instituto Nacional de Salud Infantil y Desarrollo Humano, los Centros para el Control de Enfermedades, y la Oficina de Salud Materno-infantil del Servicio de Salud Pública. Sin embargo, mis instructores primarios han sido y seguirán siendo esas maravillosas mujeres que han participado voluntariamente en nuestras investigaciones.

Esta edición de *Cómo alimentarse antes, durante y después del embarazo* (antes titulado *Nutrition and Pregnancy*) incluye un nuevo grupo de recetas basadas en alimentos nutritivos. Son platos que preparo con frecuencia pero que no había escrito antes. Abrazos y besos para los familiares y amigos que probaron las recetas y me dieron retroalimentación valiosa: Amanda Cross, Doug Wickman, Dra. Susan Brown, Don Hildebrand, Barbara Ellington, Helen Martens y Bonnie Bernstein. La Dra. Bea Krinke, amiga de muchos años, colega y experta cocinera, me brindó una enorme asesoría y analizó muchas de las recetas para ver su contenido nutricional.